GAFAという悪魔に

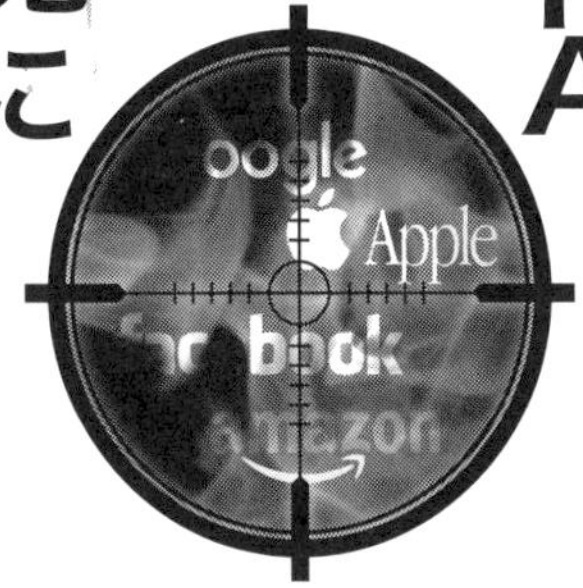

ジャック・セゲラ 著

佐藤真奈美・小田切しん平 訳

緑風出版

目次

ＧＡＦＡという悪魔に

目次

まえがき 7

フェイスブックと同じことをリアル世界で行なうと……・8　GAFAとは何者か？・11　GAFAの中にいる私たち・15　二〇〇七年からのテクノロジービッグバン・19　デジタル・ネイティブの若者たちは・21　レジスタンスが始まった・25

頭脳を変えよう 31

奇妙な戦争の時代・32　心の知能指数EQ・35　クリエイティブの力・39　アイデアという資産・42　クッキーを禁止せよ・46

ビッグデータ、ビッグチャンス、そしてビッグにホールドアップ 49

ビッグデータ現象・50　自動運転の夢・53　ビッグデータへの抵抗・56　対ビッグデータ護身術・61

開始せよ！　レジスタンスを 63

史上最大の武装強盗・64　自分の情報は自分のものだ・68　ケンブリッジ・アナリティカ社のスキャンダル・71　ザッカーバーグの公聴会・73　叛乱へのきざし・76　ネット接続型製品の犯罪・80　私たちの責任・82

クソ喰らえ！　フェイクニュース　87

ソーシャルネットワークの革命・88　政治とフェイクニュース・91　コンテンツに責任を持たないＧＡＦＡ・94　ザッカーバーグ帝国の再編・99　ぐらつくハリウッド・103　検索エンジンを変えると・105　合法的情報ギャング・107　ＥＵ一般データ保護規則（ＧＤＰＲ）・109

ハロー！　ママ・ロボット　113

孫正義のロボット・114　イーロン・マスクの宇宙計画・117　危ない橋を渡るイーロン・マスク・122　ロボットが働く世界・127　閃きのない人工知能・129　軍事ロボットへの警鐘・133

人工知能：奇跡か、それとも蜃気楼か　139

人工知能を使うと・140　手段としての人工知能・148　ブロックチェーン技術・153　トランスヒューマニズム？・158　テクノロジー狂躁曲・162　トランスヒューマニズムの幻想・166

デジタル・ジェネレーション　171

デジタル的世代分析・172　ホモ・デジタリウス・176　サイバー兵器師団・179　フランスの若者たちが……・182

追伸として

ＧＡＦＡに乗っ取られた広告・188　マーチン・ソレルの失脚・194　広告の危機・196　広告主の戦い・199　ポスト資本主義の消耗戦・205

訳者あとがき・216

三六年ぶりに、ジャック・セゲラの本を再び翻訳しました・216　もう翻訳はやりたくなかったけれど・217　『一九八四年』の悪夢が地球を覆わないように・219

まえがき

この世に変わらざるものはなにひとつなし。あらゆるものは変転して極まりなし

仏陀の言葉

フェイスブックと同じことをリアル世界で行なうと……

ある日、私はこんなメールを受け取った。メールの発信者は、近い将来、どうも危なっかしい目にあいそうな、とあるお人好しの人物である。

「ぼくはフェイスブックをやっていないので、本家本元のフェイスブックから離れて、それと同じ方法を使って、友だちを作ろうと試してみた。毎日ぼくは通りに立って、ぼくが食べたものを、通り過ぎる人たちに感じたまま説明する。前の日にぼくがしたこと、今やっていること、明日やるだろうことを説明する。ぼくは、妻の写真、愛犬の写真、子供たちの写真、洗車中のぼくの写真、縫いものをしている妻の写真を、彼らに見せる。ぼくは話も聞くし、彼らに『いいね』とも言う。で、それは上手くいっている。もう四人のフォロワーがいて、そのうちの二人は警察官で、もう一人は精神科の医者、そして心理学者なんだ」

私のように広告に携わる者は、こういった面倒にはいちいち突っかからないものだ。それは広告人の日々の糧だからだ。しかし、まさにこれこそが、私にペンを取らせ、この本を書こうと決心させたのである。ここで私は、警鐘を鳴らし、心の叫び、闘争の雄叫び、希望への叫びを発するのだ。

大西洋を越えて、アメリカから上陸した壮大な巨大企業が私たちを囲い込み、加工し、操り、もてあそんでいる。口先の才能と、腹の中にはドルを抱え込んだそういう大企業は、イデオロギーや政治が知らないうちに、民主主義の皮を被り、有毒な専制的体制を作り上げ、その構造の中に私たちを無理やり引きずり込んだのである。

今日、グーグル、フェイスブック、アマゾン、アップルと、それに関係するさまざまなシステム抜きに、誰が生きていくことができるだろうか？　これらの大企業は、世界の物流の七〇％を独占し、この津波が壊滅的な被害をもたらしながら私たちを呑み込んでいく。アマゾンは世界中の書籍販売の三一％を占めている。あとどれくらいの年月、編集者や町の書店はこれに対抗できるだろうか？　書籍は死に絶えていくのだろうか？　本屋は消滅しないのか？　もしそうなったら、私たちに何かの利得があるのだろうか？

この新たなオリンポスであるヤンキー山の神々は、自らに酔い痴れ、その征服戦争を際限なく展開し、不遜にも永遠の生命すら、そこに加えようとしている。かつてプラトン（BC四二七〜三四七）がその著作『ティマイオス』で描いた物質世界の創造主デミウルゴスのような錯乱が、この今の世界を救うのだろうか？

その答えは私たちの内にある。時は既に遅すぎるのだろうか？　この世界は、破滅へと突き進んでいくのか、それとも過去の亡者どもの中からよみがえるのか。人類の三〇％を占めるテクノロジーとは相容れない人々、つまり進歩に取り残された多くの人々はどうなるのか？　デジタル技術による人々の分断は、新たな社会的な分断なのか？　巻き戻しを終わりかけている古い映画フィルムのように、私たちは加速した状態のまま生きている。未来はしばしば私たちの理解を超えてしまう。未来というものは、『スター・トレックⅣ　故郷への長い道』に登場するようなモンスターなのだろうか、それとも新時代のアダムを護ろうとするのか、と私たちはそのように疑っている。来たるべきデータのオリンピックでは、全てが、早すぎ、高すぎ、遠すぎるので、デジタル・アスリートしか参加できない。そこで迷ってしまった者たちは控室に取り残されたままだ。頭を冷静に保ちながら、心を熱く燃やそう。敵は私たちの未熟さにつけ込んで、時代遅れにして得意満面、有頂天となり、私たちからますます巧みに騙し取っていく。人間に替わるマシーンを発明しようという狂った希望を持っている。さあ、今こそ勇気ある撤退を行なうのだ！

地球は、もはや正常に動いていない。数十年前から、初めて私たちは、環境が悪化し、社会的に劣化し、すべてが不確かなこの惑星に、子どもたちを残すことを心配している。「昔はよかった」という言葉が、もはや懐古趣味でなく、未来への予言となる。世界の終焉が宣言され、新たな世界が訪れる。つい先頃まで、進歩はそれ自体の歩みで進み、それに適応するための時間的な余裕というものが私たちには残されていた。しかし、今や進歩は光の速度で突き進み、しかもどんな未来に向かっているのか全く分からない。私たちは、もはや進歩をコントロールできていない。

GAFAとは何者か?

GAFAとは何者なのか? それは、総勢八〇万人の協力者からなる四大デジタルメジャー企業：グーグル、アップル、フェイスブック、アマゾンの軍団である。いかなる抵抗も受けないまま、私たちの日常生活を侵略している者たちだ。

その目的は、領土の征服ではなく、精神《エスプリ》を征服して、物品の購買、レジャー、仕事、思考に関して、依存的な精神状態を作り出すことだ。その規模はフランスの国内総生産に匹敵する二兆六〇〇〇億ドルにも及ぶ。どこにでも出現する使徒である彼らは、世界の支配を夢見ている。過ぎて行く日々が、彼らをその野望の実現に近づけている。今までの人類の記憶上、かつてないほど、この四つの企業は、あらゆる規制や罰則をすり抜けて私たちの生活を独占し、金を巻き上げられる人々の熱狂でのし上がってきた。人口別で、世界第一位の国はフェイスブック、第二位は中華人民共和国、そしてインド共和国、第四位がグーグルなのだ。

いかなる組織も、いまだかつてこのような支配力を持ったことはない。

デジタルエイジの圧倒的な勝者である彼らは、一〇年という時間をかけて、正当な権利を持つ国家となった。一〇年後、二〇年後には、果たしてどこまで進んでいくのだろうか?

アップルの社内保有金額は二七〇〇億ドルに達している。しかし、この資金は賢明にも、道義にもとる理由で、最初からアメリカ合衆国以外の離れた場所に預けられていた。やっと最近、強制され不本意ながらヤンキー・アメリカの地に戻ってきたのである。金を産むリンゴであるアップルの株式価格の上昇は、年度末には一〇〇京ドルを超えている。これら四社を合わせると、年間利益は一〇〇〇億ドル、彼らの保有する資金は五〇〇〇億ドルにも及ぶ。グーグルがウェブ検索の九〇%、アマゾンがクラウド[訳注1]の三〇%を独占し、フェイスブックとグーグルがネット広告の全体の七〇%を独占しているのに、どうして彼らの市場寡占について語ろうとしないのだろう?

しかもそれはすべての始まりでしかない。

かつてないほどに貪欲なネット世界の怪物たちは、これからの消費プロセスの全てを、消費者との関係までも支配しようとする。彼らは、金融サービス、自動車産業部門、インターネットにアクセスするプロバイダー、接続機器《コネクター》、音声インターフェース、人工知能に取り組もうとする。彼らの多様性はいかなる制限もないので、経済に関わるどんな部門もダボハゼのように見逃がさない。フェイスブックは、インドにおけるクリケットの中継放送権を獲得するため、八億ドルというフェイスブックにとっては微々たる金額を支払った。

世界の新しい指導者の戦略は、そんなに新しいわけではない。つまり、調査と発展に絶えず投資を続け（二〇一七年のグーグルは一七〇億ドル、アップルは一二〇億ドル）、デジタル関連の分野で、なにか少しでも動くものがあれば、すべてを丸呑みにかかる。

この一〇年間で、三六〇社の企業が「ＧＡＦＡ化」された。デジタルの分野で、この気違いじみたスピードを唯一保っているチャンピオンは、競争相手には何も残さない。

グーグルの射程距離内にユーチューブが入れば、たちまちユーチューブを呑み込む。[訳注2] そのような金を使う時には、値段など関係ない。フェイスブックの利益が落ちれば、ワッツアップ[訳注3]がその後を引き継ぐだろうし、そして金にものを言わせて、全てをたちまちのうちに叩き潰すだろう。

産業国アメリカは、昔であればロックフェラー、ヴァンダービルト、Ｊ・Ｐ・モルガンといった財閥の支配下にあった。いつもこのように組み立てられてきたのだ。社会的な不平等という代価を払い、さらに世界を荒廃に導いた世界大恐慌を発生させても……。このドルの壁を前に、私たちにはどんな武器が残されているのか？　それは創造性という武器なのだ！

お金というものはアイデアを持たない。アイデアだけがお金を産み出せる。もしアイデアがあれば、私たちはＷｅｂ４・０植民地[訳注4]の奴隷にはならない。ＧＡＦＡクラブのメンバーのＤＮＡはどれも同じだ。若く、多民族で、絶対自由主義、自己中心主義であり、国家的または税制上の道徳というものをほとんど考慮しない。そして全員が、世界を救おうと考えるテクノロジー・マニアだ。しかし、彼らはどのように世界を救おうとしているのか。もし世界が、心も、価値観も、文化も、ルーツも、愛も、ユーモアも、礼儀も、謙虚さも持たないとしたら。自分を神だと思い込み、地球上のあらゆる問題を自分だけが解決できると信じ込んでいる彼らは、大切なことを忘れている。それは最終的に民主主義によって成り立つ私たちの政府の役割であるということを。

彼らを阻むことができるのは、どのような競争相手だろうか？

人類史上、最も愚かな行為は、彼らの覇権を前にして、そのデジタル的計略に熱狂して参加することだ。私たちは、被害者であると同時に、彼らの共犯者でもあるのだ。

たった四社の企業が、潜在的に競合する企業全てを買収するためだけに使う膨大な資金を、このように積み上げたことは、かつて一度もなかった。

無邪気で、また税収が欲しくてたまらない世界中の大都市は、そういう企業の本社、支社、工場、倉庫を誘致しようと必死である。そのどれもが失業製造工場、または卑劣な悲惨競争工場だというのに。

ひとつの企業が図々しくも国家にまで成り上がろうとしたことは、かつて一度もなかった。フェイスブックの創業者のひとり、マーク・ザッカーバーグ（一九八四〜）は、明日にも公権力と入れ換わりかねない職権を持つ帝国を築いている。彼が啓蒙専制君主となるグローバル共同体に向ける野心は、もはや疑いようがない。ベストセラー『WTF経済――絶望または驚異の未来と私たちの選択』（邦訳・オライリージャパン）の中で、ティム・オライリー（一九五四〜）は、既にそれを暴いている。

私たちは、顔見知りからなる社会から、流動性が加速され、ストック能力を持ち、コンテンツの流通する経済へと移行している。毎日の生活があまりにデジタル化されてしまった結果、デジタルの時代が私たち自身をデジタル化してしまうことは避けられない。

GAFAの中にいる私たち

思想家、経営者、政治家、メディア、広報担当者たちの新たな役割は、このおびただしい情報の奔流に対抗して、別の正しい方向性を与える調整弁になろうと自覚することだ。

そして奔流の中にいる消費者である私たちの役割は、足をすくわれないように、私たち自身でコントロールすることだ。さらに重要なのは、情報データの安全性と個人のプライバシーの尊重を求めることだ。こういったモラルのないままで、未来へと猛スピードで驀進していく状況は、私たちの魂まで侵略され尽くす戦争で幕を閉じるだろう。

私たちは既に彼らの支配下にあって、この新しいデジタル・ドラッグの中毒に罹っている。グーグルは、家庭用人工知能を売り出して、あなたの家の全てを監視できるようになった。常時ネットに接続しているシンプルな黒い箱は、一般教養や日常生活に関する私たちの質問の全てに答える。ドアを開けながら「オッケー、グーグル」と言えば、スマートスピーカー[訳注5]はあなたに答えるだろう。

唯一の問題は、あなたがスマートスピーカーに言ったこと全てが、あなたの意思に反して記録されることだ。これからは、ＧＡＦＡがあなたの最もプライベートな情報データを所有する。ＧＡＦＡはあなたの家にいる。そして、あなたの内にいるのだ。

あなたの家のスマートスピーカーは、あなたの求めに応じて、お気に入りのラジオ局のニュース速報を流せるし、同様に音楽をセットする代わりもできる。あなたの過去や現在のお気に入り曲をスマートスピーカーに頼むだけでいい。音楽ストリーミングサービスのスポティファイかディーザーが、すぐ曲を提供する。コーヒーメーカーを止め、エアコンを切り、明かりを消し、ブラインドを閉じるなど、初歩的な一連の作業をさせるには、ただ一言「おやすみ」と言えばいい。それはグーグルにとっては素晴らしい一日である。なぜならグーグルはあなたの私生活の全てを知るのだから。

グーグルに隙を突かれたマイクロソフトとフェイスブックは、この分野に参入してきた。このエレクトロニクスの支配者たちは、自らが生き残るには、人々の欲望を満たすだけでなく、その生活の中に入り込むことが必要だと知ってしまったのだ。

明日になれば、あなたの第二の声でもあるスマートスピーカーの音声が、あなたの全デジタルコミュニケーションのハブになるだろう。アマゾンは、その価格を五〇ドルにまで下げて市場に参入する。確かに投げ売りだが、損はしない。というのは、スマートスピーカーであるアマゾンエコーに内蔵されたマイクが、あなたの秘密をどんどん集め、それを求める者に売りとばすだろうから。既に二〇一五年、アメリカのジャーナリスト、シェーン・ハリスは、サムスンの最新スマートテレビの内蔵マイクが同じように作動していると、アメリカのニュース&コラム・サイト「デイリー・ビースト」の中で告発している。

GAFAとの関係を断ち切ることは、私たち人類は、誰であっても不可能になった。ブラジルの哲学者・社会理論家のロベルト・アンガー（一九四七〜）は、唯一無二絶対の、この独裁制について語っている。貪欲なこの独裁制度が、私たちの時間、空間、仕事、愛情、未来を支配する。今こそ全面的なストライキにかかる時なのだ。全員、家から街へ出よう！

どうやって、これに抗すべきか専門家に問いかけるのはどうだろう？　その解答は馬鹿げたものになるはずだ。閲覧履歴を追われない新聞のような情報のみに限定し、小規模商店を利用し、ポイントカードや音声注文も拒否する……。ということは、もちろん電話も？　人生も、なのか？

世界規模で考える意識を持った私たちと私たちの政府という、二つの手がかりだけが、これを整理できるかもしれない。しかしこのＧＡＦＡという悪魔は、私たちの神でもある。それが全ての問題の大元なのだ。私たちは新時代の生産性へと向かっているし、デジタル革命は、ネットの力によって、それまで実行不可能だった新しいアイデアへの道を開いていくだろうから。

ある二人の若い株式トレーダーが、「負債」という言葉と証券取引結果との相関関係を見出そうと試みた。何カ月にもおよぶ調査の結果、この忌まわしい言葉がどこかに現れるたびに、ウォールストリートが揺れることがわかったのだ。この新発見を彼らは利用し、投資を調整した結果、当時一六％だった株価指数に対して総計三二六％もの利益を得るに至った。ウォールストリートでは、言葉の重みに価値があるのだ。

金融と同様、この新たな知識によって推進する医学やビジネス、公共サービスは、奇跡を生むが、もう一方では被害者をも生むだろう。この知識のブースター《推進機》は、嘆かわしいことに、まことに嘆かわしいことに、普通ならばそうはならないような人々を貧困へと追い込み、同時に桁外れの富裕層を出現させる。人類史上、この信じられないほど素晴らしいテクノロジーを利用しながら、そこから派生する、なんともやりきれない状況と戦う方法を私たちは身につけなければならない。

このテクノロジーが、大きな災いとならない限り。

このマシーンは、人間の能力をはるかに超えて、優位に立っている。

マシーンは、時代に遅れるという不安で私たちを追い立てながら、シリコンバレーで誕生した新たな宗教に、私たちを改宗させたがっているのだ。

二〇〇七年からのテクノロジービッグバン

テクノロジービッグバンは二〇〇七年に始まった。まだ一〇年ほどしかたっていないのに、iPhoneからフェイスブックまで、発明ラッシュの続いた一〇年だった。文章をブツ切りにするツイッターから、私たちの潜在意識を探るビッグデータまで、全く節操のない天才的なアイデアを次々と生み出した。最終的には人工知能を、つまり私たちの雇用を次々と抹殺する連続殺人鬼《シリアルキラー》を生み出すまでになった。

ロボットによって容赦なく置き換えられてしまう数百万人の労働者はどうなるのか？　瞬く間もないスタートアップ企業の活動によって、置き去りにされる中小企業はどうなるのか？　そして私たちは、このドタバタ騒ぎの中でどうなるのか？　時間をどんどん加速させる、このマシーンには後戻りはない。フランス人の一〇人中七人は、デジタル技術が仕事や生き方を変えてしまったと認識してはいる。しかし彼らは、今の世界を監視する存在の戦略に同意することで、知らぬ間に自らの自由を放棄していることを、意識しているのか。アメリカ人の一〇人中七人は、フランス人よりも事情に通じており、GAFAは日常生活に影響しすぎだと考えているし、その悪影響のためにGAFAを非難している。

このような状況はどうすれば変えられるのだろうか。


ソーシャルネットワークは、ニュースを発信する際の情報操作メディアとなり下がってしまったが、それはネットユーザーの側にも、最初の責任がある。というのは、フェイクニュースは、本物のニュースより五倍以上も読まれているからだ。

ここ二〇カ月の間で、クラウドは、地球上に生命が誕生して以来よりも、大量のデータを保管している。広告という私の職業にとっては、それはテクノロジーによる征服と全く変わらない、社会生活への攻撃であり、それに私たち自身も加担しているのだ。私たちの私生活すべてをマネーに換算していく、こういう不法侵入は、どこまで行くと完成するのか？　これからの人工知能は、私たちの全てを知る凄腕のスパイになる。

まさにインテリジェンス・サービスの時代だ。

私たちは、過去の時代を賛美し過ぎて、輝かしい未来のフランスを栄光から遠ざけてしまった。現在の昏睡状態から抜け出そう。危機に立ち向かうには、そうせざるを得ない。この惑星の将来に向けて、新たなる旅立ちのチケットを手にしよう。未来に私たちの足跡を残すのだ。この社会や生活上の激動が、私たちをどこでもないところへと追い込んでいく。さあ、ここではないどこかにある、私たちの居場所に向かおう。

資本がなくなっても、隣の青い芝生をうらやんでも、頭脳の流出に見舞われても、アイデアの泉を枯らさないことだ。私たちフランスは、新しいテクノロジー競争への参入に遅れをとった。しかしこれからは、敵が妬むであろう私たちの切り札、つまり価値観、文化、創造性という三つの力によって、私たちは挑戦するのである。

全てが動き出すのだ。まず士気が高まり、やがて復活へと向かう。征服者たちが何の制約もなく、勝手気ままに活動できた二〇年という時間のため、私たちフランス人は、そのはるか後方にいる。しかし幸運にも、私たちフランスの若い世代が、新たなベンチャー企業、ネットワーク接続の機器、新しいものへの情熱、共同作業への渇望、生きる意欲、感動の探求で、リレーのバトンを繋いでいく。

若い世代にとっては、今まさにここからである。

デジタル・ネイティブの若者たちは

かろうじて間に合ったのだ！　一瞬一瞬の快感に酔い痴れるデジタル機器によって、常にフォーマットされ続ける若い世代は、それと和解する方法を生み出していく。ユーチューブだけでも、一分間に四〇〇時間分もの動画がアップされ、一五億人もの地球人はフェイスブックの支配下に入り、同じくフェイスブック傘下のインスタグラムのユーザー[訳注6]は一〇億人に達する。二〇二〇年には、八〇〇億台のネット接続の機器によって、私たちの旧時代から新時代への脱皮がデジタル的に完遂されるだろう。

それに、私はめまいを覚える。

ネットユーザー自身によって、同時にライブで直接記録されていく時代を映し出す相互通信《インタラクティブ》で育ってきた若者たちは、当然のように古臭くなった私たちのメディア文化を捨て去って、こき下ろしたのである。親の世代は、彼らについていけない。二〇世紀の終わりには、私たちこそがコミュニケーション社会を推進する、と信じていたのに！　しかし、現実は孤独な世界しか生まなかった。コミュニケートすればするほど、私たちはますますお互いに話さなくなる。それは単に映画スクリーンの代わりになっただけ、そしてさらにはテレビ画面となり、コンピュータのモニターとなり、スマートフォンのディスプレイとなったのだ。

私たちはテレビをつけるが、子供たちはもはやテレビを見ない。彼らの視聴する新たな神は、ユーチューブ、アップルTV、ネットフリックスだ[訳注7]。しかし彼らの学問の師匠は、意識を曇らせる小さなディスプレイを、取憑かれたように素早く指でタップするよう、子どもたちを追い立てる。子どもたちは一日に一五〇回以上スマートフォンを見る。二人に一人はベッドを離れる前からスマホを手にしている。しかもこの現象は全世界を蝕んでいる。今や世界人口の九五％が、時間と脳のニューロンをむさぼり喰う、このタコのような存在にアクセスしている。私たちがネット中毒に感染した時、このタコこそが私たちの死装束になるというのに。

今年（二〇一八年）私を最も動揺させた広告は、広告以上のものだった。それは世界規模の警告だった。

その広告は、上海の広告代理店からやってきた。

八分ごとに一人の中国人が、運転中の〝ながらスマホ〟が原因で死んでいる、というのである。そこのクリエイティブチームは、交通事故の衝撃で破壊された三五〇台のスマートフォンを手に入れようと考えた。美術館に集められたこれらのスマホは一台ずつ大きな黒いパネル上に固定され、その陳列された様子はまるで戦没兵士の墓のようだった。このイメージは、かくも強烈で、雄弁だった。美術館を出る時には、どの観客も、もう決して運転中にはスマホに触らないと心に誓ったのである。

「SMSラストコール」と題された、その展覧会のタイトルは、悲劇の重さとアイデアの衝撃性を端的に表現している。

かつては「小さな映画スクリーン」と言われていたテレビの、現在の最大のライバルは、今のテレビ画面よりはるかに小さい。つまりモバイル機器《デバイス》である。モバイル機器は、世界一のメディアであろう。二〇二一年になれば、位置情報と個人向けカスタマイズの融合で、現在、広告マーケットの六〇%を占めているインターネット広告の二倍の規模となるだろう。

すでにモバイル機器は、地球上、全大陸の広告クリエーターたちのお気に入りなのだ。

「習慣」から生じた欠陥とまでは言わないが、男のひとつの欠点が、まことに残念ながら世界共通であることが明らかになる。それは女性たちの発言を途中でさえぎる、男のさもしい習性だ。これを白日のもとに暴露するには、マイク内蔵の携帯電話は理想的な武器だった。それはブラジルの広告代理店が制作したもので、またそれは当然とも思える使い方だった。

リアルタイムで会話を分析し、罠をかけて「話の邪魔をする人」を待ちかまえ、現行犯逮捕する。女声と男声とのイントネーションの違いにより、男女それぞれの記録された合計時間を合算できるのだ。この調査結果に異論の余地はなかった。フォックス・ニュース、BBC、ニューヨークタイムズから、スペインの日刊紙、エル・パイスまで、巨大なメディアのネットワーク上にて、合計五七カ国で展開されたこのキャンペーンは、これについての七億もの討論サークルを生み、女性からの発言を解放したのである。

携帯電話は、あらゆる広告のベースとして使われるだけには終わらなかった。それは成功の代価であった。

デュレックス社は、主力製品のコンドームだけではなく、毎年のように、性の愉悦にかかわる数々のグッズを世に送り出している。オーストラリアの広告代理店は、セックスについて、なんとも余計なおせっかいをしてしまった。とあるカップルの携帯に接続するセンサーをセットしたランジェリーとブリーフを提案したのだ。その結果、セックス専用回線となったスマートフォンのあちこちをタップするだけで、たとえ二人が遠く離れていても、恋の始まりのときめきを再現できる。この大人のおもちゃ的な機能はソーシャルネットワークを悩殺してしまったのである。

ＧＡＦＡは私たちを仰天させ、そのテクノロジー的な絶倫精力で私たちを恍惚に導くが、それは果たしてどんな生活様式や考え方、創造性、愛の技術をもたらすのか。それは人間性の喪失ではないのだろうか。

ＧＡＦＡには気をつけろ！

レジスタンスが始まった

デジタル世代の人々は、レジスタンス活動に突入している。デジタル専制主義の勃興を前にして、デジタル世代は、私たちの毎日の生活がウーバー《Uber》[訳注8]のような配車アプリを使うと、その便利さが忘れられない社会を、つまり相互に協力しあう社会を生み出した。この新たな行動は、私たちの伝統的な美徳、つまり創造性、相互性、完全さ、大胆さ、謙虚さに結び付く。ある種の精神的な純粋さへの回帰は、コラボレーションをよしとする変化を、集団的な感情が湧き上がる場としている。シェアサービスが増え、相互に支え合う意思を共有する。おたがいの繁栄、他者への思いやり。あらゆるものへの感動、いくつものコラボレーションがひとつになって、もっと地味で、結び合った生活、物惜しみせずシェアする生活を提示する。この共同体での生産活動は、今までの産業のピラミッド型縦割り社会の代わりに、フラットな形態となる。彼らには感情が重要で、人の温もりでテクノロジーの冷たさを温め、和らげることができるのだ。人間の感情が、物質に取って替わる。彼らにとって、両親の生き方はもはやお手本にはならない。

まず第一に問題となったのは「消費」である。彼らの試みは、消費をより少なく、よりよく、そして一緒に、フランスの製品を消費しようとするものだ。

そして消費ではなく、コミュニケーションに期待するのだ。哲学者のラファエル・エントーヴェン（一九七五〜）は、その著書『かりそめの道徳観』（本邦未訳）の中で、フェイスブックについて定義している。私はこれをとても気に入っている。「それは、いたるところが中心で、どこにも周辺がない世界であり、地球規模の顔写真付きメンバーリストであり、全ての扉が大きく開かれているのに、そこへ入るには押し合いへし合いする世界」というものだ。

私は彼と同じように、そんな世界を拒否する。そこでは誰もが他人になりすまそうと望み、またそこの誰もがコミュニティの共通規則を犯さないように、そのなりすましを知っている世界であり、没個性化を生むファーストフードのような世界なのだ。

私にはアヴァとミアという双子の娘がいる。彼女たちはとても美しいのだが、きちんとした生き方を知っているのだろうか。私は、彼女たちがフェイスブックとインスタグラムのリズムに合わせて、呼吸しているのを目にしている。

ツイートせずには一分たりとも我慢できない。目の前で起きた平凡なことをアップせずには一時間も過ごせない。目下の恋愛や破局を見せびらかさずには一日も過ごせない。そんなにも群れたがり、ありふれていて、エゴイストで、共有したがり、発信したがり、才能に溢れている奇妙な生活だ。

そして今や若者たちは、シリコンバレーを拒否し、アメリカ人に続いて、創意工夫に富むベンチャー企業を考え出す。彼らは、電子商取引《eコマース》のロビン・フッドのような人たちで、新たな地方ネットワーク（農業、非営利法人、個人対象のサービス）に向けて、マナーやノウハウ、愛する方法などを混ぜ込んでいく。

もし景気の推進役が、現在のようなデジタル専制主義でなく、ヒューマニズムだったら、どうだろうか。衰退しているのは経済、産業、商業そのものではなく、その経済、産業、商業が私たちに求める、その運用法であり、そのために私たちは疲れ切っているのである。世界は自分からは変わろうとしない。むしろ私たちが世界を変えるべきだ。テクノロジーが支配する世界を目指すのではなく、調和を求める場所がどこかにあるはずだ。そこには、既得権を奪い合う争う戦いは存在せず、強い絆と未来との持続可能な平和があるだろう。

信仰心も法律もないテクノロジーから生まれた全体主義を修正し、私たちの自主独立を育もう。それは、デジタル時代が望むような姿ではなく、私たちがあるべき姿になる助けとなるだろう。この生死を分ける戦いには、想像力と感動、独創性と寛容、詩心と遊び心、創造力という鳥のさえずりと、その羽毛を混ぜ合わせた魔法の薬しかない。それが恵まれない人々の役に立つなら、なおさらである。

毎日六五万人ものカンボジアの人々が、スポーツシューズとスポーツウエアを作る工場に勤めていて、その製品は自らの限界に挑む世界中のアスリートたちに使われている。スタジアムのヒーローアスリートたちは、カンボジアの若い男女が機械的人間として扱われ、彼らの毎日の生活が抑圧されていることなど、考えもしない。ベルギーの広告代理店が、彼らの心拍数（毎分一五〇回）や消費カロリー（一日あたり二五〇〇キロカロリー）、耐えがたい湿度（八五％）、息苦しい暑さ（摂氏三四度）、さらに彼らが受け取る不名誉なまでの低賃金を記録するというアイデアを考えた。ソーシャルネットワーク上の怒りを呼び起こし、シューズやウエアのメーカーの意識を目覚めさせるには、三〇秒のスポットＣＭで、この地獄を証言するだけで十分だった。

発展と繁栄をもう一度求めていこう。そこには、テクノロジーと感情との調和を讃える人々がいるだろう。同時に、未来を志向するデジタル技術と、私たちの深淵なる人間的存在への根本的な尊敬の思いとのバランスを図るのだ。人々は、人間の土地を少しも失うことなく、Ｗｅｂ２・０の世界に近づいている。「私たちは、旅人になるために、長い旅をする」

というペルシャの諺がある。とは言っても、好き勝手なテクノマニアが私たちを非人間的な世界へと導きかねないことに、私は恐怖に身震いしてしまう。時代遅れに思われても、私は声を大にして言いたい。テクノロジーは人間に仕えるべきだと。テクノロジーに仕える人間ではなく。

頭脳を変えよう

奇妙な戦争の時代

奇妙な時代、奇妙な世界、奇妙な私たち！

戦争状態ではないのは確かだが、地球を荒廃させかねない危機が、あちこちの大陸を飛び回っている。

ロシアは、北朝鮮と友達のふりをしながらアメリカを罵倒する。中国は台湾征服を夢見る一方で、トルコはイスラム的国粋主義、さらにジョージ・オーウェル的なイスラム独裁にはまり込む。

ヨーロッパはもはやヨーロッパ的価値観を信じられない。老いたイギリスはEUからの離脱を図り、カタロニア地方は裏切られた独立派を装う。ポピュリズムはドイツを堕落させ、さらにハンガリー、ポーランド、チェコといった東欧諸国で権力の座を占める。

このような不信の連鎖は人々を蝕んでいく。

地球のエリートたちは、私たちにありとあらゆる恐怖を呼び起こし、世界を存亡の瀬戸際へと追い込む。戦争の、テロの、核兵器の、健康への、社会への、経済への恐怖が、それである。いまだかつてこの地球は、かくも多くの恐怖に襲われたことはなかった。

それゆえ、不吉な未来を恐れるのである……。

しかし、それは私たちが作っていくものだ。当然のことだが、未来は、これからの時代の人々、つまり私たちの子供の世代をも含む。未来をコントロールすることが、かつてないほど私たちの責務となっている。

それぞれの国には、それぞれの勢いがある！　フランスは、大統領の交代によって、ハードディスクを交換したともいえる。以前の現状維持的な政策が続いた時期を経て、私たちは行動を起こす。先ずは頭脳の中で。

一九八〇年代は、過ぎし時代の貴族制度を崩壊させ、新たな上流階級、つまり権力や虚栄心を共有する文化、経済、政治、メディアの新しい貴族を作り出した。彼らは社会を変えるのではなく、自分の得意な技を競い合った。討論などは存在せず、同じことを繰り返していたのだ。戦うことなく、揶揄していた。以前、一九八八年から二〇一八年まで放送された「情報《インフォ》の人形劇《ギニョール》」というテレビ番組があった。私たちの指導者は、人形を演じてはいたが、新たな情報を生み出そうとはしなかった。

そんな状態には、もう幕引きだ！

私たちがやっと抜け出した二〇〇八年の金融大危機の前触れだった一九九〇〜一九九二年のポンド危機は、こういった偽の幸福感をたちまち絶望へと変えてしまった。

一九六八年五月の騒乱で、何も怖れず、バリケードさえも恐れず、甘い夢を見ていた子供たちは、不安の中に自ら閉じ籠ってしまい、心の中に怖れという壁を作った者となってしまった。私たちを興奮させたあの革命的な情熱を忘れてしまった。そして、監視された理性で去勢された保守主義に陥った。ただ一つの合理的な権力にしがみつくことは、無力とさほど違いはない。数字に裏付けられた客観的な事実しか信用しないならば、すぐにその事実に裏切られる。論理によってどんな問題も解決可能だと信じることは、創造とはイコール破壊、という事実を忘れている。経済、研究、調査、さらには政治の世界の新たなるジェダイの騎士は、知性の此岸を離れ去り、感情の彼岸に辿り着く。

明日は彼らのものだ！

二〇世紀という時代は、恐怖の下で理性によって動いた時代。二一世紀は感動によって動く時代となるだろう。私たちはかろうじて間に合ったのだ。脳神経学者のエルベ・クネワイス（一九五七〜）の研究では、大型類人猿と人類との間で、人間の前頭前皮質、つまり心のIQに関する部分が、最も異なっていることが明らかになっている。しかもここは最後に進化した部分なのだ。

こういった心の働きをあまりにもないがしろにしたことで、私たちは感動を表現するのに苦労している。頭脳は、私たちのエンジンだ。デカルトの実用的なガソリンに、ピカソの創造的なエネルギーを加えるのは今だ。

ハイブリッドを目指すのだ。

心の知能指数EQ

合理主義は安易な道だが、感動はパワーとなる。確信の上に安住するのをやめよう。感動するパワーを上げていこう。感動のパワーは、暴力がはびこり、強欲で皮相的で、シニカルで、非人間化したWeb2・0世界に対抗する私たちの必殺兵器となる。

アイオワ大学神経学科部長のアントニオ・R・ダマシオ教授（一九四四〜）の研究によって、他者に好意的な判断をする状態で、至福の感情をもたらすのは、脳の右半球、側頭葉だということが明らかになっている。左半球の側頭葉は、この選択を後から合理化するだけだ。そもそも、セックスにおいては、知能指数（IQ）よりも感情指数（EQ）をどう定義するかで、その行動が変わってくるはずだ。EQとIQとの関係は、情熱と理性、愛情と肉体との関係に等しい。それらに連帯市民協約《PACS》を結ばせ、機能性と人間性が共鳴するようにする。理性による独裁制の後を、知性と感情の交響曲を奏でる民主主義が引き継ぐのだ。こういう民主主義だけが、テクノロジーのオーバーヒートによって、私たちの翼を燃やし尽くすかもしれない危険を、アイデアの力で予防できるだろう。IQなきEQは精神《エスプリ》の崩壊であり、EQなきIQは魂の滅亡だ。

私たちの感情は、行動や感受性、感覚によって推進するジェットエンジンで、私たちを自分自身の内面深くへと導く。感動のない愛《アムール》とは何か？　それは馬鹿げた反復運動だ。感動のない創造とは何か？　感動は創造の火を燃やす酸素だ。感動を認識し、専門化し、個々に合わせる力が、永遠に作り直しできる広告という私たちの職業の前途に、希望の大海原を開くのだ。

宣伝チラシは広告《アドバタイジング》に追い立てられ、企業や商品とユーザーのコミュニケーションが広告《アドバタイジング》の地位を奪い、さらにそれをデータが引き継いでいく。データは、トレードマークと消費者との関係を融合してしまう。セールスポイント、インパクト、クリエイティブの息吹きを失った商品は、消費者にどのような夢を見せてくれるというのか。個々の持つ感情、「それぞれの人にとっての感動」は、クリエイティブを可能なかぎり個人的なものに近づけることだ。しかしデータは、資料から生まれたものでしかない。それがデータの限界である。情報だけでは誰も惹きつけられないのだ。必要不可欠だが不十分なデータは、真の知性、つまり心と臨機応変な知性や、精神《エスプリ》を持つ知性を欠いている。データは、私たちを無味乾燥なリストにして、購買行動を形式化する。それを個々に合わせていくことだけが、個人個人の冒険を生み出してくれる。それがジョージ・オーウェル（一九〇三～一九五〇）が『一九八四年』の中で描いたような、生物工学軍団の中に私たちが組み込まれないように守っている。

それは、創造力がデータを活性化して、明らかにデータを上回る場合に限られる。情報データの一般的正確度には限度があり、すぐ時代に遅れ、正確度を失ってしまう。それゆえ各データの有効性を最大限確保する必要がある。あらためてデータを人間の側に持ってくるのに必要なのは、信頼を生み出すプロセス全体だ。商品を買うのは人間であり、メールアドレスではない。親愛なる広告主の方々は、顧客第一主義《ファースト》からデータ第一主義《ファースト》へと変貌してしまったようだ。それは全くの見当違いである。それは、商品の購入とは、商取引ではなく、喜びへと変わる欲望によるものだ。創造力と販売の関係は、エロティシズムと愛の関係と同じである。クリエイティビティが人間を行動へと駆り立てるのであり、感情は最高のバイアグラなのだ。

悲しいことに、デジタルテクノロジーは、私たちの位置情報を探り出し、デジタル化、ロボット化、非人間化する。デジタルテクノロジーは思いやりよりも、「関係を管理する」方を好む。感性を共有するより、無味乾燥な販売を好む。消費者を電子的に分析し過ぎるため、その本質を忘れて、消費者を項目《アイテム》の集合体と見なすので、適合するかどうかを考えるだけだ。コード化された言葉でしか消費者に話しかけないので、もともとの人間的な絆、つまり生きた言葉を使わなくなる。

以前は、ひとたび口にした言葉には契約と同じ価値があったが、今や電子署名がそれに取って代わった。これを消費者が嫌がるのも、もっともだ。本物で、シンプルで、自然なものを、もっともっと望んでいるのだ。消費者は、実際に生活する社会のネットワーク――それは共に生きるための最善の手だてだが――その中に自分がちゃんと存在していることを切に望んでいて、電子的にしか遣り取りできないようなセンサーだらけの森を拒絶する。そういった感情的な必然性がある。それはたとえば、一〇〇万人のファンが最後の祈りを捧げ、歌いながらシャンゼリゼからマドレーヌ寺院に集まったジョニー・アリディ（一九四三～二〇一七）の最後のコンサート＝葬儀のように。

生産性の高い新たなメディア・プランニングの秘訣は、対象とターゲットを無限に設定すること。そしてそれをミックスすることだ。データの収集は誰でも可能だが、流行遅れのテレビ媒体では、ますますターゲットを絞った広告出稿を余儀なくされている。そのアップデートが必要なのだ。広告主に、自らの提案を直接売り込むＧＡＦＡの騎士たちに対して、どうすればカウンターパンチを浴びせられるか？　クリエイティブに相対するデータの切り札とは、データから新たな価値を発見することだ。つまり、検索能力を強化し、より便利にして、真実を重視し、正確を期すことだ。データとクリエイティブは反目するものではない。一方はコンテンツで、もう一方はメディアなのだから、両方の協力が必要で、反目しあうのは間違いである。両方とも、単なる積み重ねではなく、融合するように、データとクリエイティブは、お互いに助け合わねばならない。データは情報データとして、クリエイティブはアイデアとして、両方が一体となり新たな生産性を獲得するのである。

このように、連帯した、人間味のある、個人的な、新たなアイデアの新しい境地が開かれるのだ。

クリエイティブの力

広告という年老いた世界はもはや才気を失い、使い古したスローガンを永遠に繰り返すばかりのようだ。データは、開かれた新世界の中で企画開発力を推し進める。沈み込むのでも、取り込まれるのでもなく、過去のしがらみを飛び越えるのは、クリエイティブの力だ。この競争で、クリエイティブが感動の根元によって熱くなる時、テクノロジーで氷詰めにされた将来に、クリエイティブは効果をもたらすだろう。

ビッグデータ狂いの方々にお知らせしたい。現状のビッグデータの支配的なポジションは認められていない。これを納得させるため、パリの広告代理店ＢＥＴＣ[訳注1]は、スポットＣＭによって世界の終末を作り上げた。ユービーアイソフト《Ubisoft Entertainment S.A.》[訳注2]の新しいゲーム「ディビジョン」の発売のために、世界三八〇〇カ所の都市の何千ものデータ（病院、薬局、スーパーマーケット、空港）を、つまり五〇万カ所のインフラのデータを集めたのである。

このテスト版では、情報データの遮断で、未曾有の惨事になるアルゴリズム感染が大流行すると明示されている。

オンライン版のみで発売されたこのRPGゲーム[訳注3]は、初日に三〇〇万人のビジターを記録して、このシリーズの聖なるベストセラーとなり、二四時間での売り上げも世界記録を獲得した。しかし究極のメディアとして告知されたデータは、他と同様、単なるリストでしかない。確かに位置情報を特定し、セグメント化し、情報を伝送できるが、それはより大きなサポートでしかなく、それ以上でもそれ以下でもない。今こそデータは、感動の革命を起こすべき時にさしかかっている。

購買行動というものはもはや「購入する」ことではなく、忘れられない消費行為を「体験」することだ。こうして感情は、客観性から初めて大勝利を収めるのだ。マーケティング担当は、人間の五感を刺激する舞台監督となる。アフリカを思わせる音楽とモチーフでアピールしている、香ばしいカカオの匂いが漂うチョコレート売り場で、あなたは試食に誘われる。感覚を刺激されると、買い物という雑用が喜びに変わっていく。こうしてトレードマークやブランドは、安売りという集団的自殺行為から離れて、新たな感動の発見へと向かっていく。それは、あらゆる感情が欠如した罪深い電子商取引の波を、押し返す最良の方法である。商品を愉しみによって彩ることは、買い物の手応えを守る防弾チョッキのようなものだ。感覚に訴える要素が増えれば増えるほど、感覚に残った印象は、さらに潜在意識の中に刻み込まれていく。世界共通のエスペラント語では、音楽は最初に決められた単語のひとつだ。夏季限定のレストラン、静かなバー、最先端の流行のブティック、大型スーパーマーケットは、時間帯に応じて音楽の種類や音量を選ばねばならないと知っている。

　フランスの流通業のひとつ、レ・マスケテール《銃士隊》社は自前のラジオ局を持つまでになった。ナチュール・エ・デコーヴェルト《自然と発見》社は、「自然と発見」という会社自身のブランド名の原点に戻り、樹木の葉ずれや、動物の足音、川のせせらぎ、風のそよぎをコンセプトにした商品を提案する。毛糸メーカーのフィルダー社は毛糸の肌触りの心地よさに社運を賭け、実際に手に触れる毛糸玉が企業そのものとなる。感覚に働きかける高級イメージを考慮した、フランスの名門ジュエリーのモーブッサン社は、世界一美しいシャンゼリゼ通りにチョコレートバーの旗艦店を出した。地下鉄《メトロ》を運営するパリ交通公団《RATP》は、季節に応じて駅の床を清掃する洗剤の香りを選んでいる。百貨店のギャルリー・ラファイエットでは、クリスマス時期にはモミの木の香りが漂い、夏にはタヒチのアロマオイルが香る。ＢＭＷ社は、全ディーラー向けに、独自のフレグランスを作った。

　フランス・ベルギー・オランダ・ドイツの四カ国を結ぶ高速列車・タリスのために、広告代理店ローザパーク社の創造性あふれる広告クリエーターたちは、音の流れる列車待合所を作った。それはパリ、ブリュッセル、アムステルダムに設置され、イヤフォンを利用して、それぞれのデジタルポスターに関係する一〇〇〇もの音を聞くことができる。音のメニューは、人々の会話、ストリートミュージシャン、外国語の響き、市場での呼び声、教会の鐘などで、旅する人たちに向けて、その土地その土地の多彩な音を聞かせてくれる。しかし、問題は多い。というのもデジタルテクノロジーは、最も進歩したメディアだが、創造性から見れば、やはり最も遅れている。迅速で単純な作動が求められるので、想像力を喚起する力を吹き飛ばしてしまうからである。

新参者のデジタルテクノロジーは、ソフトウェア能力を弱めるとして、感動を避けがちだ。これは愚かなことだ。デジタルこそ、消費者と直接《ダイレクト》に、瞬時に結びつく、一番パワーのあるメディアなのだ。それに賛同したらどうだろう。広告業界がずっと今までやってきたこと、つまり人々に欲求を与えることを、自ら禁じることなどできない。データの強みは個々に合わせてカスタマイズする能力であり、単にターゲットを設定するだけでは、人の心を捕らえるのに不十分なのである。

シャンソン歌手、ジルベール・ベコーは「バラはあこがれ」という曲の中で、「大切なもの、それはバラじゃないか」と歌っている。

アイデアという資産

新しいメディアとはデータであると言う人々がいる。それは根本的な誤りである。新しいメディアとはアイデアなのだ。アイデアのないデータは、弾の入っていない銃のようなもので、単なるこけおどしに過ぎない。

来たるべきテクノロジーの戦いが進化すればするほど、アイデアは戦いの原動力としての役割をますます担うだろう。

賢明な企業はそこを間違えない。それぞれが自社の魅力を競い合っている。例えばドミノ・ピザは、サッカー・ワールドカップの試合日程を自社のカレンダーに入れた。そしてワールドカップの時期に呼応して、以下の三つのステージによって、試合が開催される晩の観戦パートナーとなった。

ステージ1、これから始まる試合をお知らせします。おすすめのピザの中から、一枚を選んで、ごいっしょに観戦準備をしてください。

ステージ2、ハーフタイムの前に、現在の試合スコアをお知らせします。そして二枚目のおすすめピザをお届けします。

ステージ3、あなたの応援するチームのスコアに対応した、最新のサポートメッセージが二一時に届きます。

広告代理店は、この最高の特別メニューを確かなものにするため、アートディレクターとコピーライターの軍団を総動員した。

その結果：ピザによるパーティーが特定のピザとこのように密接に結びついたのである。

新たなテクノロジーには、新たなクリエイティブが必要だ。つまり、新しい職種が登場する必要がある。それは、マーケティングと商品開発の中間に位置するデータシナリオライターという職種だ。メッセージの拡散にグローバルな意味を与え、企業やブランドのＤＮＡ、そのビジネスの核心を決して違えない、という能力が求められる。

こういうネット上のストーリーテラーは、単なる編集者ではなく、企業やブランドの根本となる魂を伝える人だ。だから、そのブランドの過去、現在の状況、将来の展望を知る必要がある。広告関係というよりもシナリオライターである彼らは、ブランドという器ではなく、中身の伝道者なのだ。これら「データ作家」が持っていて、映画のシナリオ作家が持っていない幸運とは、もしソーシャルネットワークによる情報が彼らに指示するなら、脚本の時間軸の流れをいつでも変更できることだ。

その一例を示してみよう。あなたが手数料無料の個人同士の売買サイト「ルボンコワン《Leboncoin》」のサイトの家の購入ページを訪れると、住宅保険会社の「グルーパマ・アビタシオン《Groupama habitation》」が、最近あなたが訪れた場所の写真を自動的に挿入する。二〇一七年のＣＯＰ23（国連気候変動枠組条約第二三回締約国会議）に向けて、既に過激な環境保護ＮＧＯのグリーンピースは、偽のベンチャー企業オリゾン《Orizon》社を設立するというアイデアを思いついた。この企業は不動産仲介業で、未来の海面上昇の結果生じる海辺に位置するはずの物件だけを表示するものだった。それと平行して、「Seloger.com」のサイトが西暦二一〇〇年の未来地図を表示するが、その未来の海面は現在より一メートルほど上昇している。そして、人の気持ちを惹きつける潜在的な付加価値が、これに伴って生まれるのだ。しかし残念なことに、その付加価値は、架空の不動産仲介業オリゾン社による人為的なものに過ぎなかった。

しかし、なんと美しく斬新なアイデアなのだろう。

確かに「クリエイティブなデータ」は存在する。私はそれを見たことがある。広告代理店ローザパーク社が担当する、小売業のカルト的ブランドの「モノプリ社《Monoprix》」は、「スマートな買い物リスト」のアプリを開発した、というのがそれだ。

あなたは、グーグルホームかスマートフォンに向かって、自分の注文を言う（今から二〇二〇年までに、グーグル検索の五〇％はボイスメールになるだろう）。あなたの選択をより良くするため、広告代理店のストーリーライターが、あなたのいつもの買い物と商品の参考データに基づいて、理想的なリストを作成する。

その機能は、聖書《バイブル》のような単純さにある。もしあなたがバターを買いたければ、サイトは、いつも買っているブランドを選ぶ。しかしシステムは、あなたの「顧客履歴」によってさらに一歩進化し、買い物頻度に基づくアルゴリズムが、あなたの買い物かごに足りないだろう商品（もちろんお買い得品）を提案する。このサービスはそこでは終わらず、最後の仕上げに「家事プロファイラー」が、あなたの買い物内容によって、今日の食事メニューを決めて、料理のレシピとそれに足りない食材を提案するのだ。

ああ、そんな生活なんて、素晴らしいはずがない！

妥当な値段が求められる自らのマーケットで、同時に愛情も必要だという変化を、モノプリ社は完全に理解していた。私たちの広告代理店アヴァスは、ロゴマークをアピールするとても美しい恋物語を作り出した。さまざまな制約があったものの、広告代理店は求められた使命を全うした。ある少女に夢中になった少年が、ロゴマークの付いた包装紙の厚紙のラブレターを彼女のロッカーに何度となく忍ばせる。しかし、二人が出会うのは、それから十数年後の大学だった。控えめな愛情と秘めた情熱による本当の幸せは、世界的な賞を獲得した映画のようだった。

クッキーを禁止せよ

これらの実例は成功したものである。その理由は、アイデアがベースになっていたからだ。

しかし悲しむべきことに、大半が攻撃的で、平凡で、さらに悪いことには無作法なネット広告の中では、こういう成功例はきわめて稀である。制約を抱えるネット広告は、その行き過ぎ、やり過ぎに気がついている。これからはクッキー《cookie》を禁止だ。クッキーとは、おばあちゃんが作る焼菓子ではない。それはあなたのコンピュータに自動的にインストールされた偵察機であり、あなたのネット閲覧を追跡して、あなたの好みに最も適合する広告を提供する機能だ。このようなさまざまな情報のインサートされた技術が、ハッキングとしてこちらへと跳ね返ってくる。

このクッキーは、かつてのTVスポット広告で猛威を振るった「過剰広告は広告を殺す」のと同じ悪影響を与えている。ヨーロッパ諸国は、この規制にやっと対応し始め、二〇一八年五月にデータ保護の厳格な規則を制定して、規制のないクッキーなどのテクノロジーに対する、最初の反撃を開始した。今や、他の大陸の諸国も同調すべき時だ。デジタルの大海原を前にしているからこそ、地球上の七大陸からなるひとつの「島の可能性」があるのだ。もしますますエスカレートするテクノロジーが、消費者とのほとんど肉体的ともいえる恋愛感情を生み出さないならば、それは終わりのない底なしの競争のままだろう。シリア人移民の子で、また世界で一番コピーされる商品を発明したスティーブ・ジョブスが、iPhoneやiPad以上に、愛のリンゴ《アップル》というブランドへのユーザーからの確実な支持や常に変わらぬ愛を生まなかったら、アップルはアップルのままだっただろうか？　ブランドやトレードマークは、それが体現する根本的な価値観に凝縮される。この土台からブランドやトレードマークを引き離すことは、経年劣化したり、経済的な不測の事態によって企業イメージが凋落するままになってしまうということだ。クリネックス・ティシューに代表される使い捨て文化の社会に直面して、こういった感覚によるユーザーとの関係だけが、企業を守ることができるのだ。しかし、マーケティングやマーチャンダイジング、また社会学や経済学は、消費者の購買行為を単純化し、ワンクリックで買い物ができるような技術を合理化し、コード化し、消費者を選別することを止めなかった。

それは間違いだ！

あなたを雑用から解放するホームオートメーションによって、あなたに代わって冷蔵庫をいっぱいにして、それで良しとするだけでは十分ではないのだ。

理性ではなく感動で、購買へのテコ入れではなくて、心を動かすことで、必要性ではなく、欲望によって、マーケットの消費活動は巧みに回っていく。販売の技術は、緻密な科学ではなく、人間に関する科学なのだ。画一性は私たちを分断し、感動は私たちを結び合わせる。オートメーション化は私たちを操るが、感動によって私たちは動かされる。

衝動に突き動かされるままでいいのだ。デジタル技術がデジタル的世界を私たちに強いるのではなく、私たちは自分でこれからの世界をどうするかを決めていこう。

ビッグデータ、ビッグチャンス、
そしてビッグにホールドアップ

ビッグデータ現象

中国では約二〇〇万人の子どもが行方不明になっているという。両親たちは子どもを探し続けている。成長とともに外見が変わっていくから、その捜索には困難が伴う。どうやって子どもたちを見つけるのか？　子どもを失うほどつらいことはない。この悲劇に、子どもが見つかるように願い続ける親たちの姿に、心を痛めた中国の広告代理店は、家系学や骨相学の専門家を集めて、データやＤＮＡを組み合わせた３Ｄモンタージュ写真の製作を思いついた。中国の大都市四五〇カ所で、失踪した子どもたちの肖像が、前例のない規模で、マルチメディアを介して、多くの人目に触れるように流されたのである。中国では全ての規模が大きい。すると数百人もの失踪した子どもたちが見つかった。なんと感動的な成功だろうか。広告、それも大規模な広告は、奇跡を起こすときが一番美しい。ビッグデータよ、ありがとう、と言おう。

太古の昔は口伝えでしか情報を伝えられなかった。言葉は一瞬にして消え去ってしまう。大理石に言葉を文字で刻むようになり、続いてデジタルが、デジタルクラウドの中に言葉を流し込む。現代では、情報はあらゆるところに存在し、あらゆる人のために、外部に置かれるようになり、広大無辺で、手で触れることのできないクラウドの中に収められている。人類は、この二年間で、人類誕生以来よりも多くのメッセージを作り出した。約一〇〇〇人を雇う企業は、毎年平均してアメリカ合衆国議会の図書館に匹敵する量の情報をストックする。今後一五年間で、データの総量は五〇倍にもなるだろう。私たちは無限の数字の中にいる。他のどのような分野が、このような指数関数的、急激な増加を経験するだろうか？　こういった情報量の増加によって私たちが圧倒されてしまう前に、どうすれば、これを食い止められるのか？　この超音速のスピードは、絶えず新しく更新される情報運用の可能性と、知性とのビックバンを起こすのだ。

この特異な現象はビッグデータと言われる。またの名をビッグマネーと呼ばれるのにふさわしい。

ソーシャルビジネスは、その名前がソーシャルなだけで、価値つまり金銭的な利益を出さねばならないという強迫観念にとらわれている。昔と比べても、新しいものは何もなく、違いは、その規模と繋がり方の変容なのだ。

この新たな惑星世界は、多くの文化、関係性、方向性に基づく交流からなるもので、各自が自分のために行動し、自分の家にいて、自分自身であったものが、みんながつながり、協力し合い、生産性を持つように変わった。昔は、序列に当てはめられ、区分されて、動けなかった観客にしかすぎなかった私たちは、今や、自律性を持った当事者へと変身した。

新たなデジタル三銃士の「みんなは一人のために」という標語は、スタートアップ企業の原動力だ。みんながつながることとは逆に、それはマーケットをよりよく把握するために、一般的な情報をマーケットで自由に使える個人情報へと、経済的に変換することを伴うのだ。

ビッグデータの大容量、多様性、スピードといった超活発な活動にさらに加えられた、ハイパースペック《超仕様》は、尽きることのないアルゴリズムの鉱脈として、西暦三〇〇〇年へと続いていく。

この新しいゴールドラッシュ、つまり未来永劫への市場、人類全体の老齢化へ、最初に加わるのは、ここにいる私たち全員である。

健康や医療の分野には、果てしない技術革新の可能性のあることが分かる。この分野は、かつてないほど巨大な研究室、つまりネット世界と世界的なデータを持っている。これによって、病巣や、感染の時間軸、伝染病の大流行を予測できるし、予防や、個々の病状に合わせた薬も開発できる。

それは、データのもたらすとても素晴らしい成果の一つだ。

早く、そんな未来が来て欲しい。

自動運転の夢

時代の急速な流れに乗って遅れることなく、自動車業界は五年以内に自動運転の夢を見せてくれるだろう。世界で最初に、これを実現するのは誰なのか？　グーグルは一時それを夢見たが、これを断念したので、この世界一の企業が自動車メーカーに早変わりすることはない。

グーグルは、この夢をグーグル・グループの持株会社アルファベット・インクに託した。このグーグルが二〇一五年に設立したシリコンバレー界の複合企業《コングロマリット》は、その初年度でなんと九〇〇億ドルもの総売上高を計上し、その二年後には九〇〇億ドルもの流動資産を確保した。この成功は、最初の自動運転のテスト時から、人工知能が起こし得るトラブルを人間は補完できないと証明した自動運転プロジェクトを、諦めることなく継続させたのである。

二〇一八年三月一八日に発生した自動運転による最初の死亡事故は、その所有者のウーバーに、実験の延期を余儀なくさせた。それ以後、この企業連合《コンソーシアム》は、本来の業務に専念する。つまり、データ自体の安全性を確保することだ。そしてそれは、かつてのライバル企業だったが、現在はクライアントとなっている会社のためである。最も優位に立って、強情を張り続け、借金まみれの電気自動車メーカー、このテスラのポジションを、はたしてＢＭＷが奪おうとするだろうか？

中国人は、一〇億台の販売が見込める中国市場を、アメリカや外国の企業に譲るだろうか？　熾烈な競争は始まったばかりだ。そして、もしルノーが競争に勝つとしたら？　ルノーと日産を率いるカルロス・ゴーンはそれを信じているようだ。「自動運転は、年に一〇〇万人以上もの命を救うだろう。それは、医学で抗生物質が発明されて以来の、最も偉大な革命であろう。こういう自動車の普及を短期間で実現させるため、できるかぎり安全で、低コストで、しかも環境に適合した自動運転ができるのは、我々自動車メーカーなのだ」と語っている。その結果は予測がつかない。

別の先駆者もいる。それは、エールフランスのLCC《ローコストキャリア》であるトランサヴィア社だ。ローコストは、粗悪品《ロークオリティ》を意味するわけではない。広告代理店のヒューマンセブン社はプロモーション用に「物置部屋をカラッポにして過ごす」バカンスのアイデアを思い付いた。これがどんなものか説明しよう。サイト上で希望する旅先を選ぶことで、二重《ダブル》のチャンスが獲得できるのだ。このダブルチャンスとは、まず航空運賃が特別価格になること、そしてその運賃を、あなたが自宅の物置にため込んでいる不要な物とか洋服で支払うのだ。つまり一銭も身銭を切らなくてもいい。データ機能を仲介させ、あなたが支払い用に用意したモノの価格がたちまちインターネットオークション会社のイーベイ《EBay》によって販売見込み金額に変換され、ペイパル《PayPal》によって支払われるのである。

それは、最も人気を博した成功例の一つになった。四五％の売り上げアップと三億三〇〇〇万回ものメディア露出を獲得したのである。

データの持っている素晴らしい機能である。

もうひとつのヒューマンセブン社のアイデアは、五人の子どもの父親である私の心をドキドキさせた。

それは、エールフランスの地域《リージョナル》航空会社オップ《Hop》！社のキャンペーンである。それは、南フランス《プロヴァンス》に住む両親が、パリの大学に通う子どもへ、アディダスの箱を送る。しかし、彼がこれを開けてがっかりするのは、箱の中にバスケットシューズが片方しか入っていないのだ。落胆した子どもはすぐスカイプ《Skype》で実家に連絡する。このスカイプの画面で、パパとママがもう片方のバスケットシューズを見せながら、一二歳から二四歳までの若者用オップークレジットカードを使って、こちらへ来るようにと勧めるのだ。そして若者は飛行機に飛び乗るのである。

このサイトは二時間で約一〇万人に閲覧され、この会社の業績はキャンペーンの最初の週だけで二八〇〇％も増加した。

両親の淋しさを慰めることも含め、データはさまざまなことを可能にする。

二〇〇九年に登場したビッグデータとは、単に巨大なデータというだけでなく、人間の扱える能力をはるかに超えた、四方八方へと拡散したデータの総体のことである。それは、私たちの知識上の限界をいやおうなく知らしめる。私たちを超越した驚くべき神の、地上への降臨のようなものだ。もし警戒を怠れば、明日にでも私たちを管理し、明後日には人間に取って代わるだろう。しかし、ビッグデータを賛美しないわけにはいかない。ビッグデータは、私たちのコミュニケーションの可能性の境界《フロンティア》を拡大していくからだ。

デジタルデータの爆発的な増加により、私たちは、その取り込み方法やサイズ、その保存や共有について、改めて考えざるを得ないのである。

これからは、行動や思考に関するいかなる秘密も、ビッグデータの管理下から逃れることは不可能だ。

ビッグデータは、西暦二〇〇〇年代の予期せぬ救いの神《デウス・エクス・マキナ》であり、この社会のあらゆる弊害、例えば貧困、環境汚染、犯罪、その他から、この地球を解放することができる。

そして同時にこの惑星を支配しようとする大悪魔でもあるのだ。

ビッグデータへの抵抗

ＧＡＦＡの生み出した神童であるビッグデータは、この世界を支配下に置き、そして未来を手中に収めているかのようだ。だが今度は私たちが、これに抵抗する番だ。ビッグデータが与えてくれる進歩に反抗するのではない。この発明によって想像力が遠ざけられ、数字が思想を支配し、テクノロジーが創造力を抹殺し、機械が人間を圧倒する、といった暴走が現実になりかねない傾向に抵抗するのである。ビッグデータは、情報と知性の新たな探求を可能にするだろうし、環境から医療、哲学から政治、宗教から文化、気象から伝染病まで、人間社会における科学の発展を導いていくだろう。さまざまなリスク管理、全面的な安全、あらゆる犯罪の予防、いたるところで発生し得るテロの予測については言うまでもない。この社会・経済的な大変動状態は、これから一〇年間で加速し、発達していくだろう。そして、企業や生活のあらゆるレベルに干渉してくるだろう。

コミュニケーションの世界において、このビッグデータ革命は、私たちの小じんまりしたメディア業界を一変させてしまった。経営方法や制度全体を揺るがせるまでになり、現状の問題点をビッグデータで認識して、他のメディアを忘却の彼方へと追いやっている（アメリカのマサチューセッツ工科大学メディアラボがその筆頭だ）。

グーテンベルグの印刷術以来、コミュニケーションの方法はどんな道をたどって、どのような原点に戻ってきたのか？　グーテンベルグの印刷術発明以前は、情報とは、羊皮紙の上に羽ペンで書かれた個人の手稿だったが、二一世紀のデータは、カスタマイズされた集団となった個人情報データの集積である。

しかも新たな犯罪の危険性がどこまでもつきまとってくる！

フランスの大手電機企業で、航空宇宙産業、防衛産業、交通システム分野、セキュリティ分野の情報システムを提供するタレス社は、二〇一八年初めにサイバーセキュリティに関する世界的な報告書を出した。その結論は冷厳な事実を示している。それは年間の総予算から五〜八％をサイバーセキュリティに充てるだけでは全く不十分で、それを八〜一二％にまで上げなければならないだろうということ。サイバー攻撃を受ける確率は、一〇社のうち七社がターゲットになるほど上昇し、取引のトラブルと、その結果として損失を受けることになる。エキファックス・クレジットで代理店の社長だったリチャード・スミスは、ハッキングによってアメリカ人一億四〇〇〇万人の個人情報データが盗まれたために、社長の椅子から追い出されてしまった。ウーバーの社長も、利用者五七〇〇万人と配達係六〇〇万人のデータ流出が原因で、同じ運命を辿っている。

データには、大きな被害を発生させる怖れがある。


残酷なウェブマーケットは、はたして規制されるのか。その最初はＷｅｂ2.0で、これはソフト開発企業とウェブマスターだけによって作られた定型のコンテンツで、静止画像を中心としたインターネットを推進した。それは時期的にとてもうまくいったものだった。そして第二の風が吹いてくる。ネットユーザーがその後を引き継いで、ウェブの世界を奪い取り、そこからかん高いおしゃべりの世界が始まる。ブログ、画像、動画、ツィートが、デジタルネットワークをソーシャルネットワークへと変えていく。

したがってビッグデータとは、技術的な革命ではなく、誰もが利用できる情報の大洪水だと認識することが必要である。ビッグデータとは、さまざまなデータが急増する不安定な世界での、デジタル的蓄積システムと分析システムとが交差するビッグバンなのだ。世界と人間は、単なる情報の集合体に過ぎず、機械と唯一違うのは、その複雑さのレベルだけである。したがって人生とは「予測可能で、プログラムも可能な0と1のストリーム」だとする社会が到来するという予言が、すでに二〇世紀半ばから、人々を恐怖でふるえ上がらせていた。

この結果、二〇世紀末には、ビッグデータとそのアルゴリズムが、工業と商業、そして政治と軍事の切り札となる。

国家権力や経済力が、ジョージ・オーウェルが『一九八四年』で描いた悪夢を現実のものにするかもしれない潜在的恐怖を伴っている。すなわち、地球上の全人類をアルゴリズムの支配下に屈服させる世界規模の独裁体制である。

哲学者も賢人も異口同音に不安を表明している。敢えて「個人のプライベートな生活はすでに消失した」と仮想する人々もいる。自分の身体や精神の状態を世界中におおっぴらに公開しながらも、個人的な、または職業的な私生活が侵される危険について自問する人々もいる。

それは無駄なことだ。

二〇一七年の冬、デジタル恐怖症が街中に広まった。この恐怖からは誰も逃れることはできなかった。サンタクロースのプレゼント行為さえ、下劣な行ないとなってしまった！ CNIL（情報と自由に関する国立委員会Commission nationale de l'informatique et des libertés）は、子供たちのプライバシーへの侵害で、香港の玩具メーカー、ジェネシス社を告発した。この会社は、金儲けが目的で、私たちの愛する子供たちとその周囲の人々についての数千件ものデータをひそかにウェブ上で収集していた現場を押さえられたのだ。子供たちの私生活に無理やり入り込むこと、しかも目的は金儲けのためだけだ。これより卑劣な行ないがあるだろうか？

その前年、二〇一六年の年末には、同じくジェネシス社のロボットIQUEとケイラ人形について、同じような犯罪が明らかになった。ケイラ人形はドイツではもう販売禁止になっている。アメリカの連邦捜査局《FBI》もすぐに、人間の意識を盗み取る接続型のおもちゃについて警告を発した。二〇一五年には対話型のバービー人形が批判の対象となっているが、そのバービー人形そのものはアメリカ国内で相変わらず売られている。

データを止めることは不可能なのだ！

対ビッグデータ護身術

問題なのは、こういう事態から自分で自分の身を守れるかどうかである。唯一有効な反撃方法は、このような子供のアイデンティティを盗み取る行為を完全にシャットアウトすることだ。政治にたずさわる方々へ言いたい。それはあなたの仕事ですよ!と。ご両親に言いたい。それはあなたの義務ですよ。市民の方々に言いたい。それはあなたの権利ですよ、と。

とにかく慎重を期すようにと叫ぶ声も耳に届かぬかのように、データ産業は、毎年三〇%の成長率を示しつつ、大空へと舞い上がりかねない勢いだ。その市場は二〇二〇年度のヨーロッパ総生産の八%にも相当するだろう。そこまで達しないはずがない。情報データの総量《ボリューム》はこの一〇年間で二〇倍になった。終わりなき、何の制約もない宇宙的な規模の拡大。今のところ、人類はかろうじてその流れを制御している。より安価で扱いやすいロボットが人間に取って代わり、売り買いの注文がナノ秒単位で行なわれるようになった時、人類は一瞬で、このモンスターを制御できなくなるだろう。

それは、終末の始まる時かもしれない。

しかし、私は楽観的なままだ。楽観は私の持っている数多くの欠点の中で、最もちっぽけなものだ。人類の思慮分別は、あらゆる進歩に付いてまわるマイナス面を避けて、自らの魂を失わないように気をつけるだろう。車輪というものは人類最古の発明の一つで、それは六〇〇〇年前にまでさかのぼる。そして、ジョセフ・キュニョー（一七二五〜一八〇四）というフランス人が、蒸気機関で動く最初の自動車を作り出す一七六九年まで、私たちは自動車というものを待たなければならなかった。

それ以来、自動車は私たちの生活を激変させた。自動車がなければ世界はどうなっていただろう？　しかも、もう一方で自動車は何百万人もの地球人の命を奪ってきた。

自動車は愛するべきだが、そのスピードを制限することによって、自動車から私たちを守らなければならない。国家がその責任を負い、交通事故の犠牲者数を絶えず減らし続けているのだ。

デジタル技術の犠牲者のために、どうして国が同じように行動しないのだろうか？

開始せよ！　レジスタンスを

史上最大の武装強盗

ビッグデータは世界を変えていく。その点ではビッグデータには感謝しなければならないが、それでもやはりビッグデータは、史上最大の武装強盗に違いない。ビッグデータ、ビッグチャンス《大きな機会》、ビッグフューチャー《偉大な未来》は同様に、ジョージ・オーウェルの『一九八四年』に登場するビッグブラザーであり、ビッグな覗き魔で野次馬、ビッグな搾取者でもある。この犯罪は誰に利益をもたらすのだろうか？　二〇〇億ドル近い利益をあげるのは総売上高四〇〇億ドルのフェイスブック。二五〇億ドルの利益を貯め込むのは総売上一一〇〇億ドルのグーグル。五〇〇億ドルの利益に迫っているのが総売上高二三〇〇億ドルのアップル。そして総売上高四〇〇〇億ドルのアマゾンはどうだろうか？　アマゾンはあらゆるものに投資して、利益を三〇億ドルにとどめ、ＧＡＦＡ四社の中でトップになった。どうして私たちは、自分の個人情報データを有料で売らないのだろうか。それは、ごく当たり前のことなのに。

アメリカ人のエッセイストでヴァーチャルリアリティの父と呼ばれるジャロン・ラニアー（一九六〇～）が、彼の著書『未来は誰のもの？』（本邦未訳）の中で、この問題に一石を投じた。フランス左翼を代表する社会党のジュリアン・ドレイ（一九五五～）は、この違法な利益財源から徴収して財源とする世界共通の一律支給金を提案した。つまり地球人で一八歳以上になれば、だれでも五万ユーロが支給されるというものだ。

さあ、やってみせようぜ！

私たちに当然支払われるべき金を要求さえしないで、何をぐずぐずと躊躇しているのか？ 私たちは自分自身のことを自ら所有する者なのだから、結果的にはデジタルメジャーによる横領の被害者である。日本、アメリカ、ヨーロッパで同時に実施された調査によれば、市民の半分がこれに賛成している事実が明らかになった。そりゃあ、誰だって賛成するだろう。

そして、もうひとり別の搾取者がいる。それは、シリコンバレーの嫌われ者・アマゾンである。今やアマゾンは、金の卵を産むニワトリとなっている。

今から三〇年ほど前、シリコンバレーの仲間に嘲笑され、また軽蔑の眼差しを浴びながら、キューバ移民の子であるジェフ・ベゾス（一九六四〜）が登場してきた。彼は、消費者を消費活動そのものに近づける、という単純なアイデアを提案した。彼はまさに億万長者の中の億万長者となり、彼の率いるアマゾングループは、侵攻できない中国の縄張りを除けば、地球のいたるところで、急激な多様化を図りながら、ライバル企業を出し抜いている。私たちの個人情報をごっそり盗んで貪欲に活動するより、むしろ生産や消費の分野で、革命をもたらしているのだ。生活の中に入り込み、選び抜かれ、巧みに導かれ、与えられた生活様式へと見事に私たちを引っぱっていく。ジェフ！　私たちの幸福のためにテクノロジーを利用してくれて感謝しているよ！　しかし雇用が破壊され、小規模経営が破綻し、企業が深刻な業績不振に見舞われ、消費者が自己破産し、そして……君が大金持ちになるには、はたしてどれくらいの経費で済んだだろうか。

全ての神々には、その裏返しの悪魔《ルシフェル》が存在する。あらゆる時代にそういう悪魔どもがいる。私たちの時代の悪魔はGAFAという名を持つ悪魔どもだ。二〇一一年からマイクロソフト社の研究員で、テクノロジーとソーシャルメディアの学者のダナ・ボイド（一九七七〜）と、ニューサウスウェールズ大学の研究員ケイト・クロフォードは、彼らの予測可能な悪行をまとめてリストアップしていた。「データ収集の自動化は、知識の定義を変えてしまう。客観性があって正確だ、という主張は当てにならない。最も巨大な情報データが、常に最良であるとは限らない。全ての情報データが同じような価値を持つとは限らない。アクセス可能、ということは、倫理的であることを意味しないし、ビッグデータが、新たなデジタル格差を生み出していることになる」。

この言葉に私はぞっとする。今から八年もたてば、その予測可能な悪行のリストに、私たちの社会の非人間化と、それを警備するガードマンを加えていくだろう。私たちは監視の時代へと突入していく。クレジットカード、スマートフォン、インターネットを使えば、誰であってもビッグブラザーの眼から逃れられず、この世界は、地球規模のシンシン刑務所、つまり最高レベルの監視システムを持った重罪刑務所へと変貌する。プライバシーの保護は不可欠であるのに、誰がそんな世界を認めたいのか。私たちは、ある世界へと情け容赦なく進んで行く。その世界というのは、かつての東ドイツの秘密警察・諜報機関であった国家保安省《シュタージ》が巨大化したようなビッグブラザーによってすみずみまで支配され尽くされた世界。もし、息をするという自由が、仮に記されていないと、呼吸する自由が失われるような世界だ。その当然の結果として、公共のスペース、会議する場所、交流する空間が消滅する。

最後に、仲介したデータの本人との違いや、その解釈や理解については、どう考えるべきか？「他人というのは単なるデータではない」とボルドー・モンテーニュ大学で社会科学を研究するダヴィッド・プシューは言った。創造《クリエーション》も危険にさらされる。これからの時代、私たちが感動するものは、私たち自身から生じたビッグデータによって作られる。映画やテレビドラマでは、同じデータに由来した、同じような感情を刺激するものによって感動が作られる。そしてある日、そのワンパターンに飽き飽きしてしまう。どこに驚きが、新しさが、創造性があるのか？　私たちが期待するものだけで、コンテンツを作ったがために、倦怠が生まれてしまうのだろうか？

フランスの通信・メディア関係者に金融関係者や学術研究者を加えたグループ「レ・ナポレオン」の招待を受け、パリへの思いがけない訪問をした前アメリカ合衆国大統領バラク・

オバマ氏（一九六一〜）。彼はソー・フレンチ・シンクタンク《So French Think Tank》での講演の際に、集まったパリ証券取引所のメンバーや広告関係者を前にして上機嫌だった。まずフランス語で「ボンソワール、パリ。ここに来られて、私は光栄に思います」と物慣れた様子で聴衆の心を掴み、次に英語に切り替えてトランプ大統領とおぼしき攻撃的な人物について、お待ちかねの当てこすりを一発、そして、フェイスブックに対する正面切った叱責を一発かましたのだ。「アメリカでは、そういうものが情報を伝えるメインルートになっています。もし保守派であるなら、あなたは自分に関するニュースを受け取るだけでしょう。要するにみなさんは、バイアスのかかったプロパガンダ形式の情報支配を受けているのです」。ジョン・F・ケネディ以来、最も影響力の大きな大統領からの、まさにしたたかな平手打ちだった。メッセージを個人に合わせていくことは、唯一の思考へと導いていくことだ。これは、あらゆる熟考や議論、異論を排除することだ。こうしてGAFAによる独裁体制が私たちの頭脳を侵略するのである。

注意を怠ってはならない。レジスタンス《抵抗》を開始するのだ。

自分の情報は自分のものだ

私たちの未来を決めるのは私たち自身だ。その未来は私たち次第だ。ヨーロッパのスーパーコンピュータが、アメリカや中国、日本のレベルに肩を並べるのはいつだろうか？　ヨーロッパ独自のアルゴリズムを発揮するのはいつだろうか？　どんなものであれ、決してフランスだけがその手段を持っているわけではない。私たちの地で蓄積され、広められ、加工されたヨーロッパのデータに関する枠組みが決まるのはいつだろうか？　政治家、学者であり、現在はヨーロッパでトップのＩＴサービス企業であるアトス社の会長兼最高経営責任者のティエリー・ブルトン（一九五五〜）は、海域や空域にならって、デジタルでの領域設定を提唱している。彼は「ＧＡＦＡは、デジタル技術によって誰も所有者のいない無人の土地を作ろうとしている。そこでは、彼らが掲げた法がまかり通るだろう。そうなってしまえば、もうおしまいだ」と強調する。

そして個人が、個人情報データの所有者であり、もし望むのであれば、それを有料で販売することもできる情報データの資産化のために、今度は各人が申し立てをすることも提案している。

フェイスブックに最初に投資した投資家のひとりで、フェイスブックの初代ＣＥＯを務めたショーン・パーカー（一九七九〜）は、二〇〇七年一一月に、自らの後悔を公にした。「フェイスブックは、もともと傷つきやすい人間の心理を悪用している。そのことが子供たちの脳にどんな悪影響を与えるか、神はご存知なのだ」と言う。

大人については、グーグルが多くの場合、私たちを絶好のカモとして扱っている。

それは、グーグルを退社した後にその内情を暴露する者たちによって、常に明らかにされている。金をかけた贅沢なプレスリリースの威力で得た、小奇麗な現代ヒッピーのようなイメージにもかかわらず、グーグルの内情も同じようなものだ。情報世界の神殿に仕えるサラリーマンだったセス・スティーヴンズ・ダヴィドウィッツ（一九八二〜）は、彼のドキュメンタリー本（『誰もが嘘をついている　ビッグデータ分析が暴く人間のヤバい本性』光文社）の中で、私たちのデジタルアイデンティティについての裏工作を告発している。

その報告によると、隠しデータというものが存在するという。その隠しデータは、私たち自身が拡散するデータよりも、さらに数多くの事実を示していて、私たちがまるごとスキャンされているようなものである。グーグルは、人間心理を操るペテン師であり、盗まれたツイートは、自発的なリアクションの陰に隠れている真実を引っ張り出そうとするポン引きなのだ。

マイクロソフトリサーチの所長、エリック・ホーヴィッツは、人工知能《AI》という絶対君主に「人間精神への攻撃」という姿を見ている。あなたのウェブ上の行動によって編集されたツイートが、あなたに送られている。あなたのメッセージ、購買行動、外出先、待ち合わせ場所の分析によって、あなたが今しようとすることが決まっていく。したがって、あなたの投票行動が誘導されていると考えても、さほど間違いではない。それゆえドナルド・トランプは急浮上したのである。

ケンブリッジ・アナリティカ社のスキャンダル

イギリスのスタートアップ企業で、データに基づいた選挙コンサルタントだったケンブリッジ・アナリティカ社は、選挙戦での勝利に果たした役割を自慢さえしたのだ。しかしこの会社をめぐるスキャンダルは二〇一八年三月末に暴露された。一緒になって獲物を狩り出した三匹の猟犬、つまりニューヨークタイムズ、ザ・オブザーヴァー、ガーディアン三紙の共通調査は、ケンブリッジ・アナリティカ社が、フェイスブックのユーザー八七〇〇万人からデータを不法に集めた可能性を明らかにしている。

その目的は、ドナルド・トランプに有利な票を予想して、影響を与えられるソフトウエアを開発することだった。この忌まわしい事実の発見は、四八時間の間、見かけ倒しの巨人たちGAFAの甚大な株価低落をもたらした。フェイスブックが一一％の暴落で最も不利益をこうむった（続いてグーグルが七・五％マイナス、アップルが五％マイナス、マイクロソフトは二六％のマイナス）。マーク・ザッカーバーグの言い訳には誰も納得しなかった。彼曰く「私が大変危惧しているのは、アルゴリズムに問題があるかもしれないこと、そしてフェイスブックの経済的システムによって、悪意ある者が何の罪もないユーザーに損害を与えるかも知れないことです」。

しかしながら悪意ある者のナンバーワンは、この親愛なる、とても親愛なる……このマーク・ザッカーバーグなのだ。ロシアによる選挙干渉で明らかにされた、これら間違いの後、この事件は危機へと変わり、ザッカーバーグ事件《ゲート》は、世間を震撼させ、悲劇で幕を閉じる。

そして起きるべきことが起きた。このスキャンダルの重圧が、イギリスのスタートアップ企業だったケンブリッジ・アナリティカ社を、忌まわしいハエのようにひねりつぶした。結局、このスタートアップ企業倒産の悪影響で、フェイスブックは株式市場で八〇〇億ドルを失った。ビッグデータの、最初の世界的規模のスキャンダルは、ケンブリッジ・アナリティカ社の倒産で、当然の結果を迎えた。この社長、アレクサンダー・ニックス（一九七五～）の解雇は、償いきれないものを償おうとする、つまり民主主義への冒瀆を償うには十分ではなかったのだ。大きな非難の声が世界中に拡がり過ぎて、追いつめられたマーク・ザッカーバーグは、四月一日に声明を出したが、それはエイプリルフールだからではない。その声明は、フェイスブックの経済システムを健全化するには何年もの時間が必要とされるだろう、というものだった。そして、データ収集のパートナーシップ（小米科技《シャオミ》〔Xiaomi〕、エクスペリアン《Experian》、オラクル《Oracle》、トランス・ユニオン《Trans Union》〔WPP〕）関係の解消を決定する。株式市場はすぐに反応して、小米科技の株価は一〇%下落した。発表された措置をスポンサー自身が止めようとして、抜本的な改善が求められた。あまりの紛糾で、フェイスブックは初めて面子《フェイス》を失った。

これからデータブローカーたちは好ましからぬ人物《ペルソナ・ノン・グラータ》となるだろう。これは確かに良い兆しだが、この追放は、世界規模の嘲笑や冷やかしの大洪水を堰き止めるには不十分だろう。

ザッカーバーグの公聴会

とうとうその日が来た。ホワイトハウスの夢が消え失せたのである。二〇億人のネットユーザーの頂点に立つ神のごときマーク・ザッカーバーグは、私たちにデジタルの黄金郷を、つまり「いいね！」の生活、フォロワーの社会、友人たちでいっぱいの惑星を約束していた。アメリカの有権者たちは、ナイキのスニーカーとジーンズのガゼルのようなマークが、黄色いたてがみの生えた熊のようなトランプ大統領を、彼の悪趣味な玉座から追い落すのを見たいと思ったかもしれない。しかし、一九歳で初めて一〇億ドルもの収入を得た、この永遠の学生は、二〇一八年四月一一日、アメリカ合衆国議会上院の公聴会にうつむきながら姿を現した。

ジョン・スーン上院議員（一九六一〜）が堂々たる様子で質問を始める。「テクノロジー企業は、西部開拓時代のものではなく、企業には責任があることを理解しなければなりません。あなたの個人史《ヒストリー》は、アメリカンドリームを体現しています。そしてあなたには、このドリームが、私たちのプライベートな生活を悪夢にしないように努力する義務があるのです」。

ディック・ダービン上院議員（一九四四～）がさらにとどめを刺す。

「昨日泊まった、ワシントンのホテルの名前を私たちに教えろと言われたら、あなたはいい気分でしょうか？」

当事者ザッカーバーグの答えは、「いいえ」だった。

「あなたが友人たちと交わしたプライベートな会話を、私たちが知っているとしたら、あなたはいい気分でしょうか？」

被告人ザッカーバーグの答えは、「いいえ」だった。

「現在、問題になっているのは、まさにそのことなのです」

彼の五時間にわたる証言は、アメリカ合衆国をはじめ世界中の国々にとって、なんとも物足りない聴取にしかすぎなかった。

例のごとく、ミスター・フェイスブックは謝罪して、「間違い」という言葉を一〇回も繰り返しつつ、泣き虫役を演じた。しかし彼は「あなたは、ヨーロッパのデータ保護法をアメリカでは適用しないのか？」という質問に対しては、その傲慢な態度のまま、悪びれもせず、「私たちアメリカ人は、ヨーロッパ人とは同じような感覚を持っていません」と答えた。フェイスブックのはっきりしない態度は、効果狙いの言い訳と、約束不履行で、メディアの世界に暗雲を投げかけた。フランス人はだまされ続けるような存在ではない。このアメリカ議会公聴会での対決の翌日、フランス人の九二％は、マーク・ザッカーバーグを信用しないと表明した。しかし、それはフェイスブックを止めるということではないのだ。作り上げられたフェイスブックは、もはやそれを創った者の手から離れてしまった。フェイスブックのボイコットを呼びかけるオンラインキャンペーンは失敗した。フェイスブックのボス・ザッカーバーグは、その経済モデルを変える気は全くない。検討し直すべきは、むしろ哲学的なモデルである。さてはたして、どのような権威を一番上に持ってくるべきだろうか？

株式市場もまた不安要素を抱えこみ、フェイスブックの株は、非難が巻き起こっている間に一七％下落した……。しかし、前年の株価を上回ったままであり、利益の増加には全く影響しなかった。

そして、ザッカーバーグは自分のことを理想的なボスだと考えているかどうか、尋ねられると、彼の答えは「はい」だった。

良心を別にして、誤った信念に歯止めをかけられるものは何もない。良心は、フェイスブックの王国になかなか到来してこない。軽蔑すべき腹黒い顔つき。眉ひとつ動かすことなく、ビックなマークはたちまち豹変して、アメリカ合衆国以外のフェイスブックのユーザー一五億人に対して、プライバシー保護の権利行使を禁止した。この権利は新たにＥＵ一般データ保護規則によって設定されたものであった。その時までフェイスブックは、税務制度が寛大なアイルランドにデータセンターを置いていたが、ザッカーバーグは、このデータセンターと全データをカリフォルニア州メンローパークに大慌てで移動させた。アメリカ合衆国の法体系による強制力は、ヨーロッパのそれよりも弱いのである。

しかし、あまりに過剰なるものは害毒である。それがゆえに人間精神《エスプリ》というものが覚醒するのだ。GAFAの独占支配に対抗するレジスタンスを推進する人物は、私だけではない。その第一人者で、最も深く関わっている人物のひとりが、フランスの作家で哲学者のエリック・サディン（一九七三〜）である。彼は「世界のシリコン化」に関する辛辣なエッセイを書いた。

彼は当然のこととして、私たちのデータを勝手に入手することを、単純な批判を超えた「生活全般に関わる征服侵略行為」だとしてGAFAを糾弾する。彼は、経済モデルよりもはるかに破壊的な文明モデルについて、歯に衣着せず語っている。

GAFAたちが確立しているアルゴリズム構造に、どのように疑問を投げかけていくべきだろうか？

叛乱へのきざし

やっとのことで、二一世紀のフロンドの乱（一七世紀フランスで、宰相のマザランに対して貴族、官僚が起こした反乱）ともいうべき、世界規模の叛乱の兆しが見えはじめている。ル・

モンド紙の記者、ヴァンサン・ファゴは二〇一八年八月の終わりに、テクノロジー関係の投資会社アリヤ・キャピタルのボス、アリ・シュラジの立場を認めて「ＧＡＦＡという頭文字の終わった時代」を予言し、最初に警鐘を鳴らした人物だった。彼は「目覚める時が来た。もはや、その株式的価値に対して、盲目的な希望を託すことはできない」と言う。株式仲買業務のジョーンズ・トレーディング社でマーケット・ストラテジストであるマイク・オルークは「ＧＡＦＡの時代が終わる先駆けと言えるだろう」という言葉を突き付けた。デジタル世界の「指輪物語」の四人の領主たちは、契約数が減少していくのを、つまり利益が目減りしていく状況に直面する。その景気後退は、あらゆる局面で急速に進行し、やがて四社の直接対決を強いることになった。四社の間で戦争がはじまり、それが致命的なものになりかねない。それと並行して、全ての国々は長い無気力状態から脱け出しつつあるように思われる。つまりヨーロッパは、厳格な罰則規定をもってこれに臨む最初の大陸だし、二〇一七年七月に、ＧＡＦＡの財布の心臓部を躊躇なく叩きのめした。ヨーロッパは、優越的地位の濫用、また不当な競争を行なったとして、グーグルに四三億ユーロの罰金を科した。特にアンドロイド端末に対して、クロームブラウザを強要してプレインストール[訳注1]させたのがその理由である（それはすでに一二億五〇〇〇万台のモバイル機器が具備している）。この金額はブリュッセルのＥＵ本部が課した過去最高の金額で、合計六三億ユーロに及ぶ最初の罰金に課した二四億ユーロの支払いの後、数カ月早まって支払期限がやってくる。

しかし欧州共同体は、それだけにとどまらない。毎日の総売上高の五％に相当する罰金を受けたくなければ、この制御不能な状態に終止符を打つよう、デジタル業界の実力者たちに督促したのだ。もう一つの戦いは、広告市場の独占的支配に対して課税するというものだ。それは、年間九五〇億ユーロにも及ぶ広告市場の八五％が、この貪欲な存在によって独占されているからである。

悲しいことだが、現実は、悪魔たちGAFAの大胆不敵な新しいテクノロジーによって、絶えず彼らの利益が倍加されるように調整されている。しかし希望は別のところにある。今こそ、スマートフォンメーカーが反逆する時である。スマートフォンの広告について対価を支払うよう請求して、グーグルから金を搾り取るのだ。いや逆に、これらスマートフォンメーカーが、アンドロイド[訳注2]に対抗する独自のライバルOSを世に出すほうがもっと良いだろう。なんと美しき復讐なのだろうか。

ここで大敗北を喫したのはフェイスブックである。それは当然の結果だが、二〇一八年七月にフェイスブックは、経費の増大に見舞われた。それまでの数カ月にわたったスキャンダルの連鎖と、行政当局やメディアの圧力によって、フェイスブックは、収集した情報データの安全性と、行き届かない管理の安全性を抜本的に検討するよう強いられた。一年前から経費が四七％も増えていたのに加え、その年末までに二万人の追加の予備社員、つまり協力者が採用されていた（つまり合計で三万人だ）。最悪だったのは、このような部分ではなく、ユーザー数の減少だった。アメリカでのユーザーは頭打ちで、ヨーロッパでは一〇〇万人減少した。これに対する株式市場の反応は厳しかった。二〇一八年七月二六日火曜日、フェイスブックの株価は一九％下落した（一二〇〇億ドルの損失である）。フェイスブック上で飛び交う噂が、このコミュニティをさらに混乱させる。尊大な姿勢を改めて、誠意をこめて働かねばならない。

ザッカーバーグは、意見交換のために、世界中からジャーナリストを四〇人ほど本社へ招待した。意見交換はあったものの、企業としての透明性は不十分だったらしい。招待されたジャーナリストは囲い込まれていたので、広報担当者以外の人々、つまり実際の従業員と話すことは不可能だった。確かに言葉の上ではきちんと体系化されている。「私たちの責任は、あなた方のデータを保護することです。もしそれに失敗するなら、私たちはあなた方にサービスを提供するに値しないということです」。それは使い古された説明だが、例外的に誠実そうな印象を与えた。本社メンローパークの導師・ザッカーバーグには、もはや失敗する余裕はない。ニューヨークマガジンはザッカーバーグに呼びかける。「フェイスブックは自らを律する憲法の制定が必要なのではないか。この会社の幹部たちは、明白な権利、確固たる権力、透明性のあるメカニズムを必要としているのではないのか」と。

もはや取り返しはつかない。

ネット接続型製品の犯罪

徹底的な反撃を考える私にとって、一番の敵は、私生活を盗み取り、ホームオートメーションの作動状態からデータを集め、隠された日常を監視するネット接続型製品だ。そのような製品は、私たちの動向を解釈して、毎秒毎秒私たちの存在に侵入する。それはもう個人に合わせたサービスを提供するのではなく、私たちのあらゆる瞬間さえも、唯一の目的、つまり金儲けの道具にする、存在の略奪という問題だ。彼らがネット広告をほぼ独占しているので、私たち広告人が犠牲になりながら「生活全般産業」と称するものが作り出される。データが私たちにもたらす様々な生活上の安楽、分かりやすく、また先まわりの傾向でさらに安楽になることで、物事に対する判断力を失った私たちは、自らの意思決定、行動、アイデア、思考を略奪されること、さらには、秘密のうちに私たち自身が略奪されるまでになってしまうかを見極められない。エリック・サディンは言う。「世界全体のシリコンバレー化は、資本主義の最終的段階」であると。

購入を考え、商品を選び、配送され、支払う、といった一連の作業の自動化は、私たちを「無意識に買う」ように導いていく。自由主義的で、協力し合い、幸福なグローバリゼーションを謳歌し、美化するものの背後に、シリコンバレーの偉大なる悪霊が、きわめて図々しく反社会的な態度を隠蔽しているのだ。私はエリック・サディンのことを、ファーストネームでエリックとつい呼んでしまう。それは私が、エリックが出版したばかりの『スウェットシャツ野郎の犯罪』を暴いた本の一行一行を、真実の霊薬のごとく飲み干したからだ。

グーグルはクールで、束縛されない勤務時間、オープンスペースのカジュアルな雰囲気、食べ放題のカフェテリアを見せつける。しかし悲しいことに、時間的なプレッシャー、何よりも成果を求められる、不安定な地位は、どんな企業よりも酷いのだ。

親愛なるエリック、あなたの結論は「商品と化してしまった人間を見たいとは思わない」ことだろう。それは私の結論と同じなのだ。

そして、市民社会の（さらに「そして全ての国家の」と私は付け加えたい）全ての同胞たちに、こう呼びかけたい。こういう同胞たちだけが、世界的な規模で保護を求めることができる。「危機に晒されているのは、人類ではなく、まさに人間そのものなのだ」と。

ワッツアップ《WhatsApp》の共同創業者ジャン・コウム（一九七六〜）は、フェイスブックの傘下に入った自分の会社を離れることにした。旧ソヴィエト連邦時代にキエフからやって来た元ヤフーのエンジニアは、個人情報を今までよりも確実に保護可能で暗号化されたアプリケーションを世に出すことを思いついた。しかし、彼は　ザッカーバーグのやり方が制御不能だと考え、ザッカーバーグの新事業を評価していないのは明らかだ。ニューヨークタイムズがあぶり出した新事業とは、私たちの個人的な情報データを、スマートフォンのメーカー六〇社と共有していたというものだ。

この火薬に火を点けたのは、ニューヨークタイムズのジャーナリストだった。彼はスマートフォンのブラックベリーを購入して、フェイスブックに登録したが、たちまち五五六人もの身近な人たちとの、全ての会話を盗まれてしまった。それは友人同士の小さな秘密が漏れたものであり、その秘密というのは、政治、恋愛、家族、職業に関するものである。

誰もこの欲望を止められない。

私たちの責任

「現代の情報強盗」については、悲しいけれども、私たちにも責任の一端がある。というのも私たちは、プライベートを守ろうとせずに、それに参加してしまったからだ。なんという集団的な過ちだったのか。私たちの個性の根本である私生活のベールを剥ぎ取る権利など、誰も持っていない。情報処理技術者たちは、盗み出した単なる写真から、その人の性的な嗜好を検知する技術までも発明したのである。さらに耐え難いのは、スタンフォードの研究者たちは、容貌の観察で同性愛者を検知できるプログラムを作ったのだ。

私たちは、同性愛を嫌悪する者たちの真っただ中にいる！

はたして公共的な道徳はどこまで行ってしまうのか？　ネットの有害性は、もはや個人個人の自我を盗むだけでなく、意見までも盗み取ることにまで及ぶ。偽情報や腹黒い専門の技術者が私たちの眼を真実から逸らせようとするのだ。

フェイクニュースと情報の関係は、汚職と政治、犯罪と司法、腐敗と民主主義の関係と同じ、つまり社会のガン細胞である。

情報から広告まで一連のつながり全てが、信頼性を失っていく。実際は、その営業資産をまるごと喪失しているのだ。

今こそ抵抗する時なのだ。フランス発の新たな動画ストリーミングサービス：サルト《Salto》がまさにそうしているように。

サルトとは何か？　それはネットフリックス《Netflix》に敢えて挑もうとするヴィヴェンディ《Vivendi》社に続くフランス第二位のコンテンツ企業だ。で、フランス・テレビジョン《France Télévisions》と民間テレビ局のＴＦ１《テー・エフ・アン》と、Ｍ６《エム・シス》が、自分たちの作品リストを統合して、オンラインコンテンツを結集し、アンチＧＡＦＡを標榜する戦線を作り上げている。二〇一九年に始まる予定のプラットフォームを機能させるために、年間四五〇〇万ユーロの予算が決まっている。フランス・テレビジョンの女性社長であるデルフィーヌ・アーノット（一九六六〜）は「団結は力を生み出します。とりあえず今のもめごとには目をつむって、つまらないいざこざは棚上げします」と言う。そしてＭ６の社長、ニコラ・ドゥ・タヴェルノー（一九五〇〜）は「ＥＵの規制が機能しないのを利用して、軽々といきなり国境を飛び越えてやって来る巨人どもに立ち向かって、わがヨーロッパの主役《プレイヤー》たちは、もっと活性化するだろう」と明言している。

さぁ、レジスタンスに突入するのだ！

しかし私は、アンチGAFAで勝利の雄叫びを上げるのは、やめておく。というのもGAFAは、私たちに飽くなき進歩を与える存在でもあるからだ。最も新しいビッグデータの発見は、ベストセラーを勝ち取る黄金律だからである。

時流に乗った四人の研究者である、ブルク・ユセソイ、シンディ・ワン、ジュンミン・ファン、アルベルト・ラズロ・バラバシが、ボストンのノースイースタン大学の研究センターに集まり、本が売れた場合のパラメータ化によってベストセラーの方程式を導き出そうとした。しかし悲しいことに、情報機器《マシーン》から、意味のありそうなものは全く出てこなかった。知恵とデータを精いっぱい出し尽くして、次の四つの法則を導き出した。その法則とはこうなるのである。

1　シーズン。読者が読む時間がある時に出版するほうが良い。
2　ジャンル。小説と伝記は、エッセイよりも売れる。
3　作者の知名度、本の装丁。
4　その発表の仕方。

彼らの作った統計モデルは、将来のベストセラーの予測を可能にするのだが、選ぶべきテーマとか、その書き方については、何ひとつ私たちに教えてくれない。

私の、この本について言えば、どの条件にも当てはまらないのだけれど。

クソ喰らえ！　フェイクニュース

ソーシャルネットワークの革命

具体的な方法や技術がなかったので、一般の人々から発言する権利を奪っていたコミュニケーションの独裁制を打倒して、デジタル革命は、ソーシャルネットワークの参加型民主主義を確立した。コメディアン・俳優であったコリューシュ（一九四四〜一九八六）は、「独裁とは『黙っていろ』であり、革命とは『しゃべり続けろ』だ」と語っていた。そして私たちは、息が切れるまで、いつまでもいつまでもしゃべり続けていくだろう。

今はちょうど、他人からの評価《バズ》について人類史上初めて、それも最大の混乱が発生したところで、だれもが自分の意見をてんでに披露している。ツィートし、拡散し、コメントし、炎上する。知性と文化を象徴するアポロンの神は、神託を授けるデルフォイの神殿からとっくに出払ってしまい、地球上いたるところに出没している。それ以来、クリックする巨大マシーンに変容した口コミは、オリンピックやサッカーを追い抜いて、世界で最も観客を集めるスポーツとなった。地球規模で永遠に続く口コミは、一年間三六五日二四時間、休むことなく行なわれる。まさに称賛ものだ。しかし悲しいことに、無限のツィートの増殖は、ツィートを月並みなものにしてしまう。過剰は害毒である。人の心を捉えようとするやり過ぎは、多くの才能、辛辣さや衝突を必要とする。

かくして地球上の人々を結び付けたマシーンは、言論の自由という扉を開いた。これからは、各人がそれぞれ評価《バズ》を得ていくことだろう。フランスは、コンピュータの先祖にしてもはや忘れ去られた存在のミニテル、すなわちフランス電話公社が一九七九年からフランス国内の五〇〇万世帯の家庭に一斉に配布した端末があり、コミュニケーションの最先端分野の先駆的な国であった。ミニテルのおかげで、問い合わせ、対話、予約、注文、交換、おしゃべりなどが既に可能だった。対話型機能《インタラクティブ》が発明されたばかりであり、対話型機能と評価《バズ》の関係は、飛行機と自動車、核エネルギーと電気、テレビとラジオの関係と同じである。つまり、新たな次元に踏み出したということだ。

しかし悲しいことに、その精神《エスプリ》は、メディアのざわめきに溺れ、巧妙な毒舌だらけの現実主義へとたちまち変わって、乱雑ながらくたの山となって終わってしまう。

多数による評価《バズ》はそれ自体の力で先へと暴走し、機知にあふれた幸せな領域から、意地悪な荒れ果てた領域へ、あるいは愚行のはびこる厄介な領域へと向かってしまう。嘘八百のでたらめ、格差や逸脱、制御不能な激変がぶつかり合う。さらに悪いことに、このデジタル的増殖によって、邪悪な本能が目覚めていくだろう。

正真正銘のメディアとなってしまった他人からの評価《バズ》は、悪評へ、つまり炎上してしまう。ネットの絶対的自由主義と無制限の人工知能という二つの領域が結合したのだから、あなたの仕事上の評価をたったのワンクリックで台無しにできるのだ。

その痛ましい実例を挙げよう。シカゴ大学のとある研究者が、美食術《ガストロノミー》について偽のレビューを書くように、情け容赦のない非情なマシーンに命令した。その結果は、まさに身の毛のよだつものだった。

「あなたの時間とお金を無駄にしないでください。ここは私が今まで見たこともないほどの最悪なレストランです。ここは全てがいい加減です。ウェイトレスの態度は悪く、責任者が来ると言いながら結局誰も来ませんでしたし。ポイント・ゼロの評価ができれば良いのだが……」

このレビューを書いたのは、料理の権威でも、憤懣やる方ない客でも、悪意のあるインフルエンサー[訳注1]でもなくて、種々のバリエーションを無尽蔵に生産できる情報処理プログラムなのだ。これが公表されていない本当の目的は、悪辣なホテル経営者がこれを使って、競争相手を巧妙に陥れる機会を作るためだった。そのメカニズムは実に単純で、プログラムが、消費者からのコメントが四〇〇万件にも達する世界最大のローカルビジネス・レビューサイトであるイエルプ《Yelp》を参照して、その中からブラックな内容を汲み取っていくというもの。デジタル世界での誹謗中傷はビジネス活動での攻撃方法となっていて、ニセの批判が大量生産され、しかもそれが止まらない。イエルプやアマゾン、他のネット大手では、ソフトウェアとか人手による調整が、慎重に警察活動を行ってはいる。しかし、このメディア業界にはびこる業病と、いかにして戦うのだろうか。

政治とフェイクニュース

フェイクニュースは、相当に年季の入った代物だ。フィガロ紙の論説記者ヴァンサン・トレモレ・デュ・ヴィレー（一九六八〜）は、今から二〇〇〇年前に古代ローマ帝国の例を挙げる。軍人にして政治家、文筆家であったマルクス・トゥッリウス・キケロ（BC一〇六〜BC四三）が政治キャンペーン用のマニュアルの中で推奨したことを思い出させる。「競争相手たちについて、彼らの素行にふさわしく思われる罪悪や悪徳、汚職の噂が流れるよう十分配慮することだ」と。

国民戦線のマリーヌ・ル・ペン（一九六八〜）が二〇一七年のフランス大統領選挙で当選圏外へと追いやられた歴史的討論会《ディベート》の際に、多くのフランス人はフェイクニュースの悪魔的な力を知らされて呆然となった。シュールレアリズムの先駆的な作家だったアルフレッド・ジャリ（一八七三〜一九〇七）が描いた不条理な滑稽さに満ち溢れた『ユビュ王』の如き、たったの一言が、メディアを通じて「フランス憲法院によって認定される大統領としての職務遂行能力の障害」を彼女に宣告したのである。自分が降板した大統領選を眺めながら、追い込まれた彼女は「あなたが持っているバハマの海外資金口座がバレないといいですね」と不意

打ち を繰り出した。これに仰天した一六〇〇万人のフランス人は、「フェイクニュース」の原理をライブ中継で目の当たりにすることになる。その原理とは、「候補者の名誉を棄損するため、ソーシャルネットワーク上に拡散している、あらゆる断片から組み立てた嘘の情報を発信すること（公式な定義）」である。数時間前にピンを抜いて投げ込まれた手榴弾は、マクロン候補の支持母体である「前進」のデジタル支部メンバーたちが見落としていたものだった。しかし、たいしたことではない。マクロン候補は動ずることなく、うるさいハエのようなル・ペンにぴしゃりと言い放った。「マダム・ル・ペン、これは名誉毀損です。あなたと私との大きな違いは、あなたは事件を起こしていて、私はなんら事件を起こしていないということです」。

これで勝負はついたのだ。チェックメイトである！　その八カ月後、マクロン新大統領は、ニュースの透明性に関する法律を自ら発表した。その法律は、二四時間以内にフェイクニュースの撤回を強制する仮処分を執行できるし、場合によってはフェイクニュースを拡散した者に対して制裁を与えるというものだ。この勢いに乗って、ヨーロッパ諸国は目を覚ますだろう。今回ヨーロッパは、戦争の前線基地となり、「西洋民主主義への脅威」に関して警鐘を鳴らした。NATOは、この吐き気を催す狂気じみたフェイクニュースの洪水を食い止めるため一〇〇万ユーロの予算を計上したのである。

しかし、何十億ユーロのGAFAに対して、一〇〇万ユーロとは、その有効性はいかがなものだろうか？

アメリカ合衆国は、大統領になった象（つまりドナルド・トランプ）による嘘にまみれたキャンペーンの最中に、さらに悲惨な体験をした。

アメリカの有権者、一億二六〇〇万人がフェイクニュースの二重の詐欺に引っかかったのだ。

最初の罠は、札付きのペテン師どもが拡散した。

奴らは、錯覚を起こさせる偽のスクープ、または笑いを誘う偽のスクープ（ただしヒラリー・クリントン（一九四七～）に関するもの以外）を利用して、罠が待ち受ける広告サイトへとネットユーザーを誘導した。

二番目は、もっと悪質なものだ。その発信元は、ロシア共和国にあるプロパガンダの本拠地だった。そこのフェイクニュース軍団が、マケドニア共和国経由で不安要素を投げ込んで、そのアメリカのチャンピオンたるトランプ氏当選のために尽力したのである。

フェイスブックのファンユーザーは、偏向したメッセージによって嵌められてしまった。そのメッセージは、挑発的なメールを発信する四七〇カ所ものアカウントから送信され、四〇万台のロボットを利用して、三〇〇〇もの動画が三〇万回再生されるまでになった。アメリカ大統領選挙の最後の三カ月間は、猖獗を極めるフェイクニュースのほうが、ニューヨークタイムズ、ワシントンポスト、ハフィントンポスト、NBCニュースのインタビューや記事よりも、さらに多くの一般の関心を集めた。CIA（アメリカ中央情報局）は、これを意識的な不正によって安定が損なわれたと結論付けた。YouTubeは反応しなかった。マーク・ザッカーバーグは、あらゆる責任を否認して満足したのだった。民主主義世界の憤激に直面し、窮地に追い込まれたマーク・ザッカーバーグは、その一カ月後に明言することになる。「偽情報の拡散を防ぐことは、私たちの最も重要な課題のひとつです」と。アメリカの司法制度を考慮するよう勧告を受けた彼は、嘘と真実を見分けるフィルターを設置するだろう。「ファクトチェック」は、アルゴリズムが果たして事実を確認できるかどうかに挑むものである。

それは壮大な計画か、それとも実行不可能な作業なのだろうか？

コンテンツに責任を持たないGAFA

こういうどうしようもない情報の奔流を食い止めるには、さらに多くのものが求められるだろう。現在大流行の新たなデジタル式非難中傷を、つまり「名指しの非難」を当てにしないことだ。この手の非難は、何の証拠もないまま「根拠のない」犯人を名指しして、その人を恥辱にまみれさせる。ジャーナリストたちは、こういう腐りきった捏造行為で真っ先にやられる被害者だ。こういう捏造には、同じような語調や語彙、指示語が使われる。その浸透によって、それぞれ新たな攪乱が、その職業全体の信頼性に害を及ぼす。我らの偉大なるリポーターたちは、世界各地で勃発する戦争に関する報道の正確性、確実性を守るため、生命を危険にさらしている。グーグルとフェイスブックは、それに対してなんら金を支払うことなく、そういう情報を垂れ流すことで、さらに許しがたい強奪を行っている。ヨーロッパは、EUが加盟国に出す著作権に関する法案指示文書《ディレクティブ》の範囲内で、ネット業界の巨大企業たちに対して、当然支払うべき著作権料を課すことを提案した。シリコンバレーの軍団は、ただちにロビー活動を組織する。彼らはそういう事態に対抗する秘訣をよく心得ていたので、またもやヨーロッパ側の委員をだまして、この提案否決に向けた誘導に成功したのだ。

新聞や雑誌の編集長がその内容《コンテンツ》に責任を持っているのに、世界最大のメディアであるグーグルやフェイスブック、その他の連中は、なぜ責任を持とうとしないのか？

ネットユーザーや報道機関、公的機関の結集に反応して、シリコンバレー軍団の異教徒どもは、情報世界の良きサマリア人のふりをする。「私たちの媒体で、あなた方が目にする情報が、クオリティの高い、信頼性を持ったニュースメディアからもたらされることを私たちは望んでいます」と言う。さらに、信頼できる媒体をネットユーザー自身が自分で決めるように求めることで、ネットユーザーたちの良心に訴えかける。もはや検索エンジンではなく、有害有毒エンジンだと非難されている主要メディアが、GAFAたち自身のメディアであることを、残念ながら彼ら自身は忘れ去っているのだろう。

このような逆を突くかのような主張では、誰も騙されないし、世界的投資家のジョージ・ソロス（一九三〇〜）がダボス会議でこう抗議するだろう。「フェイスブックとグーグルは、今や巨大な独占企業となり、私たちがほとんど意識すらできない数多くの問題を引き起こしている。私は、これらの企業が民主主義に及ぼす重大な影響を恐れている」。いつもながら悪いのは金である。根本的に道徳が求められなければ、偽物を流通に乗せて、さらに稼ぎたくなるのが人情というものだ。

幸いにも風向きが変わって、その罠が見え過ぎて、物騒だったり、やり過ぎが分かったりして、数多くの声が上がってくる。フェイスブックの初期に投資していた一人のロジャー・マクナミー（一九五六〜）は、正気を失ったフェイスブックを離れ、昔のパートナーが提唱しているインチキ対策を批判する報復討論会を徹底的に繰り広げている。彼は言う。「そういう対策は、結局コップで海の水をカラにしようとするようなものだ」。

エマニュエル・マクロン新大統領は、最初のマスコミに向けた所信表明から「あらゆる種類の情報が混ざり合わないようにし続けるのは、それぞれの情報プラットフォームの責任である」と呼びかけ、彼らに攻撃を開始した。これからは情報プラットフォームが、不法なコンテンツを二四時間以内に削除しない場合、五〇〇〇〇万ユーロの罰金が課される怖れがある。しかしこのような悪事はなくならないから、根本的な解決法は、フェイクニュースの大本を封鎖することだ。報道の自由という神聖不可侵の大原則は、自由であることと、処罰されないことをあまりにも混同している。わがフランスの大統領は、他国の首脳たちが心ひそかに思っていることを、最初に大きな声をあげた国家元首である。「GAFAは、GAFAだけで経済活動のルールを決めることはできない。ここでは、経済活動の規範がその上に立つのだ」。そして検索エンジンによって略奪され続けている報道機関の著作権を、新たに設定することを提案する。彼らGAFAはデジタル分野に投資される総額の八〇％を巧みに手に入れている。デジタル社会&経済の欧州委員であるマリヤ・ガブリエル（一九七九～）は、ヨーロッパが「ファクトチェック」について検討中だと報告はするが、すぐに「これは誰か特定の対象を指し示しているわけではない」と言い足すのだ。

残念ながら、何かを達成するには、何らかの犠牲を払わなければならない。悪は根絶されねばならない。彼らを粛清する唯一可能な方法は完全な公開、透明性の確保であり、これらのデジタルモンスターをいくつかに分割することだ。まさに今、ついに国家は逆襲に踏み出そうとする。一八九〇年、アメリカ合衆国上院議員ジョン・シャーマン（一八二三～一九〇〇）によってアメリカ合衆国で制定されたシャーマン独占禁止法を忘れているアメリカ人はいない。この法律は、数多くの闘いを経て、ジョン・ロックフェラー（一八三九～一九三七）

が創立した石油会社・スタンダードオイルを一九一一年に解体させたのだから。

なぜ、現代の複合企業《コングロマリット》にそれを適用しないのか。フランスでは、あるグループが三〇%以上のマーケットシェアを占めることを禁止している。市場の競争に関して、わがフランス当局は何をしているのだろうか? アメリカだけが、この世界の未来におけるデジタル業界の占有をほしいままにするなど馬鹿げている。GAFA解体に賛成する動きは、アメリカ合衆国で高まっているので、世界を救う活動を始めるには、この動きを国際化するだけで十分であろう。

国際通貨基金《IMF》の女ボス、専務理事のクリスティーヌ・ラガルド(一九五六〜)は「こういった情報データの横領は、自由競争とイノベーションに対する深刻で非常に大きな問題を引き起こしている」と述べている。彼女は自覚してはいるものの、まだまだ十分に厳しいとはいえない。彼女は、「共通ルールを策定するために、法的、予算的、財政的、構造的メカニズムを見出すように」と提案する。素晴らしいことだ! ブラボー!

しかし、またまた残念なことに、彼女の政治的な素養が頭をもたげるのを見るのだ。「しかし、情報データベースの解体が、競争を最適化するために最良の方法だという確証はない」と語る。私はこの財界の女王・ラガルド女史を猛烈に賞賛する。しかし女王という人種は、感覚麻痺とさして変わらない慎重さを持っている。それは、頭に戴いている王冠の重さなのである。

中国はこういう事態にすでに反応している。中国のＧＡＦＡ、すなわちＢＡＴＸ、つまり百度《バイドゥ》、阿里巴巴《アリババ》、騰訊《テンセント》、小米科技《シャオミ》があり、そのスーパーボスは中国共産党である。アリババが早くもアマゾンに追いつくだろうことは、全く疑いの余地がない。ならばヨーロッパは何をしているのか。かつてヨーロッパは、各国が連合してエアバスを開発して、アメリカ、ボーイング社の全地球的な市場支配を奪ったことを経験済みだ。

ヨーロッパのＧＡＦＡは何時現れるのだろうか？

ザッカーバーグ帝国の再編

こういった争いにうんざりしたマーク・ザッカーバーグは、二〇一八年の末までに、なんらかの問題解決に向けての提案を行なうだろう。[訳注2]彼は、フェイスブックという自分のプラットフォームで、いわゆる毒麦と食用麦の分離を約束するだろう。同様に、堆肥の山の中から一本の針を探しだすことも約束するはずだ。

自分のイメージの急速な悪化を前にして、ビッグなマークは、彼のナポレオン的情報帝国を再編成して対応するはずだ。つまり彼は、最も忠実なる元帥たちの手にその帝国を分割するのだ。

最高のパフォーマンスを誇る全ての経済活動、つまりワッツアップ《WhatsApp》、インスタグラム《Instagram》、メッセンジャー《Messenger》は、生え抜きの近衛兵で最高製品責任者のクリス・コックス（一九八二〜）によって一極に集中される。「新たなプラットフォームおよびインフラストラクチャー」と名付けられた第二の軍団は、最高技術責任者のマイク・シュロープファーが率いることになる。第三の軍団は「セントラル　プロダクト　サービス」であり、広告とソーシャルネットワークのセキュリティを担当するジェネラルマネージャーを兼任するベテラン、ハヴィエル・オリヴァンのものとなるだろう。WhatsAppの共同創立者のジャン・コウムにあっては、「いくつかの広告がプラットフォームの中に挿入される」手法に反対して身を引くだろう。

　データを駆使した選挙コンサルティング会社、ケンブリッジ・アナリティカのスキャンダルなどどうでもいいし、アメリカ上院での証人喚問も大したことではないし、ユニバーサルメディア的制裁などは何でもない。ウォーターゲート事件のような、フェイスブックゲート事件は起こらないだろう。

　フェイスブックは、わずかこの一年で、広告収入を四三％増やして二〇〇億ドルの金をぶんどった。その間、フェイクニュースは急増し、もはや政治に関するものだけではなくなっている。例えば、足を酢に浸すと病気が治り、さらに栄養的観点から見ると、この飲み物はあなたの腎臓結石もすぐに溶かす、というような、モロッコ発信の健康サイトのように、である。

メディアの中の最先端のメディアは、結局、古い時代のでたらめな民間療法を流布するだけだ。

ノスタルジーというものは、私たちを捕えて離さないのだね！

より深刻なことだが、フェイクニュースは、英国のＥＵ離脱の決戦兵器となったのだろうか？　それは、事実によって立証されるだろうし、いずれ歴史が語ることだろう。

トラブルメーカーたちはすぐに反応し、グーグル、フェイスブックなどの一味は、お得意の単なる見せかけを繰り返した。

プレスやＮＧＯへ向けては、フェイクニュースを一掃するように訴えるものの、彼ら自身の大掃除をさせようと言うソーシャルメディアを拒否したのだ。「私たちは、真実を見分ける審判ではありません。それはメディアの仕事です」と、ザッカーバーグはまたもや保身を図る。ザッカーバーグほど狡猾に逃げ回れる奴はいないだろう？　その結果は、このありさまだ。フェイクはおびただしく増殖し、それを排除するプロセスはあまりにも遅過ぎる。ファクトチェッカー《検証者》たちは対応できず、その人数もあまりにも少なく、しかもやる気がなさ過ぎたのである。

問題視された記事はどんなものでも、最低二つの組織から虚偽だと認められなければならないため、反応の遅れが尾を引くのだ。その結果は以下の通りとなってしまう。検証には三日という時間が必要で、攪乱メッセージの拡散に最適なのは三日間なのである。
イェール大学の研究は、バイアスのかかったこういう偽情報への対策には限界があることを、再確認することとなった。

さらに悪いことには、ドナルド・トランプ大統領を支持したアメリカの有権者たちは、フェイクとされたニュースこそ、そのニュースが正しいという、一番の証拠だと考えているのだ。

フェイスブックのザッカーバーグ氏に関して語るならば、彼が「私たちの行ったテストでは、全体の文脈に当てはまる事項を伴うフェイクニュースは、他のフェイクニュースと比べて共有されることが少ないと、証明されている」と明言しているから、彼の傲慢さはまったく度を越している。事実は全く違っている。フェイクニュースは、普通のニュースに比べてなんと五倍もの速度で拡散する。それは、私たち人間の本質的な性癖、古くからの一般的な法則だ。つまり私たちは、時間通りに到着した電車ではなく、脱線した電車に対して、より大きな興味を示すから、である。

フランス大統領候補の時期のマクロンは、大統領への就任を待たずして、代わり映えのない選挙運動・投票活動にならないように宣戦布告を行った。大統領官邸《エリゼ宮》をめざす道半ばの閣僚であった彼は、報道機関の権利関係の専門家を雇い、あらゆるソーシャルネットワークを掃除して、彼の評判を損なう、いかなる情報も流させないようにした。同性愛だという噂、オフショアの口座、植民地化に関するアルジェリアへのコメントなどについて、彼のライバルたちは好きなだけ攻撃した。彼は用意周到にそのライバルたちを無力化していった。彼が大統領に選出されるとすぐ、選挙期間中に適用される法律を発効させた。あらゆるフェイクニュースについて四万五〇〇〇ユーロの罰金が科せられるようになったのである。

ぐらつくハリウッド

フランスのテレビに関する検閲は、電気通信・放送等の規律・監督を行なう視聴覚最高評議会《CSA》の管轄下にあり、その制裁権限も拡大されている。ただ惜しまれるのは、この法律の適用は選挙の時に限られている。それ以外の時は、私たちは被害者となるべきなのか？　悲しいことにフェイクニュースは全天候型のスポーツだというのに。

フェイクニュースと人の噂は双子である。この双子の殺し屋たちは手におえない奴らだ。かつてのアメリカ合衆国大統領だったビル・クリントン自身が、それを認めている。「自分が耳にしたことが、果たして真実なのか？　フェイクなのか？　これを理解できない人々がいる場合、民主主義を保ち続けることはほとんど不可能だ」と語る。そして今度はハリウッド映画の旧世界がぐらつき始め、そのための行動を起こそうとしている。ずっと以前から、映画は、ディズニー、コムキャスト（MBCO、ユニバーサル、ドリームワークス）、タイムワーナー、二一世紀フォックスの手中にあった。彼らは、「スターウォーズ」から「アバター」「ゲーム・オブ・スローンズ」「ロード・オブ・ザ・リング」まで、世界最大のエンターテイメント市場を独占してきた。

しかし彼らは驚愕する！　自分の目の前で、コンテンツ制作と直接配信を倍加させていく新世界のデジタルターミネーターが立ち上がるのを目撃したからである。広告メディアや電気通信産業は動転する。フェイスブックは二〇億人のユーザーを抱えているし、アップルは二七〇〇億ドルという資産を見せつける。かつての巨人たちの超弩級の結集だけが、生存を可能にする。たとえ今日では小人サイズであるとはいえ、AT&Tとタイムワーナーは、グーグルにとってはほんの僅かな金額に過ぎない一億四〇〇〇万ドルを資本に組み入れるために、合併を目指している。ドナルド・トランプは、タイム・ワーナー傘下の宿敵CNNに復讐するため、その合併を阻止するよう、米国司法省に圧力をかけていた。[訳注3] この闘いは不平等すぎるのだ。これら新しい異星人《プレデター》の欲望は、中世の作家フランソワ・ラブレーがかつて描いた底抜け大食漢の巨人・ガルガンチュア並みなのだ。彼らは競合会社の人材を略奪する。TVシリーズ「グレイズ・アナトミー　恋の解剖学」のプロデューサー、ションダ・ライムズ（一九七〇～）は、ABCを離れてネットフリックスに移った。TVシリーズ「ブレイキング・バッド」（ソニー・ピクチャーズテレビ製作）のクリエーターたち、ザック・ヴァン・

アムバーグとジェイミー・アーリヒトのふたりは、アップルに法外な値段で引き抜かれた。ディズニーの会長兼ＣＥＯであるボブ・アイガー（一九五一〜）はこのように指摘している。「急激すぎるテクノロジーの発達は、かつては紳士的な競合関係であったものを、大量破壊兵器による血も涙もないレースへと変えてしまった」。

検索エンジンを変えると

欧州連合のあるブリュッセルはどうしているかといえば、ＧＡＦＡパワーに攻撃を仕掛けて、アイルランドに支払われるべき税金一三〇億ユーロを追徴課税請求している。それは敬意を失した行いだが、本当の狙いは、税金を払わせることではなく、人間に対する押し込み強盗のような情報収集方法をやめさせることだ。明らかにテロリストが使っているｉＰｈｏｎｅなのに、それをＦＢＩがハッキングできないように阻止する権利を、アップルが不法にも持ったのだ。それを私たちはどうして容認できるだろうか。

誰も厳罰に処せられなかったのに。

フェイスブックとグーグルは、ネットユーザーの「細部にわたる個人情報」を保護する法案に反対するために、団結するのだ。

誰も、それに反対しなかったのに。

アマゾンは、オーガニック食品を扱うスーパーマーケットチェーン、ホールフーズ・マーケット《Whole Foods Market》を買収した。あらゆる触手を地球上の流通に伸ばしていくタコ《蛸》のような企業は、自らの権力を拡大していく。

誰も、これに抗議の叫びを上げようとしなかったのに。

全能の神であるデータが、ジェットエンジンのような推進力で、世界経済の振興を手始めに、数々の奇跡を起こしていることに、どうして驚くのか。価値と競争力を生み出すデータの神は、データを情報に変換する術を知るあらゆる企業にとって、国内総生産に血眼になる弊害の、つまり急激に拡大する脱産業化の救世主なのである。

誰も飛んで行こうとしなかったのに。

その代わり、医学的、社会的、社会生活的な数多くの苦悩や障害を魔法のように癒していくデータの神は、私たちの私生活を盗み取り、日常を奴隷化し、情報を誘導し、選挙を狂わせる悪魔だ。この全く異なった二つの要素が共存するから、世論は割れたままなのである。私たちは、賛否両論が激しくせめぎ合う日常のただ中で、危険で有害で、どちらとも取れる紛らわしさの中を生きている。その唯一の解決策とは、「統一、調和、一致」である。

私たち自身の情報的防御を保証できるのは、私たちひとりひとりである。先ず、ネット上の情報吸血鬼どもから出される、数々の設問に答えるのをやめることだ。それから、ネットでの打ち明け話にも用心すべきだろう。このような打ち明け話の内容は、結果的に公になってしまう。そして特に大切なのは、敢えて検索エンジンを変えてみることだ。人生に必要な検索エンジンは、グーグルだけではない。フランスにはフランス独自の検索エンジンがある。それは二〇一一年にジャン・マヌエル・ロザン（一九五四〜）によって作られたもので、社会的にも身近で、価値観も共有しやすい。また検索しやすく、私生活も尊重する。その名をクワント《Qwant》[訳注4]という。

公共の力と個人の義務を、メディアと政治を、市民であることと地球人であることを考えれば、こういうデータの怪物たちに足枷をはめて、それらを人類に恩恵をもたらすよう作り変えていくのは、私たちの義務である。もし私たちが未来社会の進んでいく方向を決められなければ、もはやこの地球は子供たちにとって、人間の惑星ではなく、ロボットに扮した猿の惑星となってしまうだろう。

そして誰も、その恐ろしさに身震いさえしないだろう。

合法的情報ギャング

ネット世界の悪の元凶で、異教世界の創造者たるデミウルゴスたちは、何十億人という地球の人々の生活を引っ掻き回してきた。彼らは、わずか一〇年足らずのうちに、情報データをやり取りし、富を分配し、時間的な情報を獲得して、堕落した消費世界を築き上げてしまった。さらに、知性を変容させ、不老不死（自分の頬をつねってみよう！）という馬鹿げた希望に至るまで、私たちの体力を増強するという約束までしてくれている。それでも、この合法的なギャングは、私たちの伝統的な経済活動のあらゆる側面からの灰の上に積み上がった、果てしない利益の巣窟に陣取っていることに変わりはない。あらゆる推測を超越し、完璧なまでに不道徳なのに、処罰を受けないこの合法ギャングどもは、課税されることもなく、ルールを無視し、規制も束縛も受けない、世界規模の反権力集団となるのだ。

マーク・ザッカーバーグの何回目かの反撃は、叫ぶだけにとどまっている。「私たちのコミュニティを守ることは、利益を最大にするよりも大切です」と発言しても、相変わらず、信頼に足る情報の保護計画はない。彼はフェイクを好み、安易に伝わる露骨な、または下品なメッセージの拡散を加速し、二〇世紀の黄金の通貨である大衆の支持を生み続けている。

そして、誰ひとりとして処罰されることはないのだ。

ビックなマークは、欧州議会議員たちの断固たる要求に応じて、ブリュッセルにあるEU議会の前で後悔の念を示しはするだろう。それは、アメリカ上院での四時間にもわたる公聴会の再現ではない。このショーの質疑応答時間は六〇分に制限され、最も厄介な質問については、返事がないままだった。その質問とは、広告市場の独占に関してである。被告人は、広告市場でのフェイスブックのシェアは六％に過ぎないと主張するだろうが、現実は全く違う。実際のシェアは一八％で、デジタルの領域では一〇〇％もの成長なのである。尊大さをかなり抑えた彼の態度は、欧州議会の議員たちにとって物足りなかったはずだ。その三日後、彼はパリで開かれたスタートアップ企業やそのリーダーが世界中から集まるイベント、ヴィヴァテック《Vivatech》のスターであった。

そして誰ひとり、彼に抗する行動を起こさなかった。

EU一般データ保護規則（GDPR）

GAFAは、世界的なモラルの高まりを即座に悟ったのである。そしてGAFAの情報プラットフォームが、大成功したネットメディア・インフォウォーズへのアクセス禁止を決定した。インフォウォーズは、アメリカ人で陰謀論者のアレックス・ジョーンズ（一九七四〜）が設立し二四〇万人の購読者を集めている。インフォウォーズの信条とは、表現の自由とやらをわめきたてることだ。それも九月一一日の同時多発テロの後に、これはアメリカ政府の陰謀だという噂を流したのが、アレックス・ジョーンズその人だということをきれいさっぱりと忘れている。フェイクニュースより悪いものがあるのだろうか？

彼は、二〇一二年一二月一四日、アメリカ合衆国コネチカット州サンディフック小学校で発生した銃乱射事件で殺害された小学生の親たちと、二〇一八年二月一四日のフロリダ州パークランド高校での銃乱射事件の生存者たちを、銃を所持する権利に反対する陰謀に関与しているとを非難し続けているのだ。

また、二〇一八年一一月のアメリカ中間選挙を前にして、こんな事件も起こった。その八月に、フェイスブックが、イランとロシアが黒幕の、アメリカの政治に影響を与えようとしたフェイスブックの偽アカウントによる政治操作キャンペーンに終止符を打ったと宣言したのである。フェイスブック独自のネット作業が開始され、有罪を示す六五〇ものアカウントが削除された。

しかし、ザッカーバーグ氏の告白を虚偽と考えて全く評価しないアメリカ議会上院は、厳しい警戒に当たった。フェイスブックのシステムの最悪なところは、人種や宗教、政治などの項目に関する、選別に依った恥ずべき広告メッセージのターゲット化を行なっていることである（広告主は、黒人やヒスパニック、同性愛者をターゲットから排除できる）。その上フェイスブックは、うやうやしくも「私たちは、差別的な広告から人々を保護することを約束します」と願望を語る。

今回に限っては一度だけだが、あり得るかもしれない企業内浄化を信じることにしよう。全ての新たな犯罪が、ＥＵの訴追対象となり得るのだ。ＥＵは、ＥＵ一般データ保護規則（ＧＤＰＲ）を作成した。これによって、情報データの収集および保護、取り扱い、安全性について、より厳格に、道徳的に、企業に対してさらなる強制力を持つ枠組みが制定されるのだ。それに違反すると厳罰が課せられ、違反した者には世界全体での総売上高の四％（フェイスブックの場合は一五億ドルになるだろう）が課せられる。しかしフランスの哲学者、政治学者で、政治家も勤めたリュック・フェリー（一九五一〜）は、これに関して懐疑的だ。「私たちがヨーロッパ独自のGAFAを持たない限り、たとえ遮断機構を設けたとしても、現実を見ようとしない少数の道徳主義者たちを喜ばせるだけで、私たち自身にペナルティを課すこと以外、何の役にも立たないだろう」と語っている。

そして、デジタル業界のGAFA以外の巨大企業は、一斉に反旗を翻し始める。ネットフリックスとその一億三〇〇〇万人の加入者は、アップルやグーグル経由分のマージン支払いを拒否する。フランスを含む三九カ国において、過去にGAFAのルートを通じて登録してきたネットフリックスの新規加入希望者は、自動的にショートカットして、ネットフリックスのモバイルサイト上でダイレクトに加入手続きを完了する。彼らはそうやって、ネット上の財務官であるGAFAたちが徴収する三〇％の手数料を節約する。オンライン映画の巨人であるネットフリックスの新たなパートナーは、ネットへ、またはテレビへのアクセスを提供している。

このルートは、誰にとってもさらに安くなることは確実だ。大西洋の対岸からニューヨークマガジンは、このようなヨーロッパの勇気を称賛した。「EUの新法、一般データ保護規則（GDPR）は、インターネットを立ち遅れさせるかもしれないが、同時にインターネットをさらに良いものにするかもしれない」と書いた。五億人のヨーロッパ市民は、GAFA

が規則を守って業務を行なうという条件であれば、その恩恵を受けていくだろう。ザッカーバーグは、その実施を約束したのである。

その様子を注意深く見ていよう。

ハロー！　ママ・ロボット

孫正義のロボット

インテリジェントロボットは確かに存在している。私はそれに出会ったことがある。それはコラボ型のロボットで、自分の職場を三次元的に記憶していて、内蔵センサーが、そこにいる全員を検知し分析して、労働者の安全に留意しながらロボットが移動する。労働者が荷物を抱えて、ロボットの行く手を横切ろうとしていると、停止して、彼が通り過ぎると、自分のルートをたどって行く。こういう新種のデジタルアシスタントは工場内にいて、反復が多いとか、重い作業などから人間を解放している。

いつもながらフランスはのろのろと歩いている。私たちよりも六倍も生産性の高いドイツと比べて、フランスには、その六分の一のロボットしかいない。

間違えたところを捜してくれないか！

フランスの中小企業は幸運なことに、導入が簡単で、構造が単純で、安価な、この新しくて素晴らしい相棒を見つけていた。ライバルの人間労働者は年俸が二万から六万ユーロだが、ロボットは一万ユーロ。この機械仕掛けの労働者は「コボット」という名前だ。現在コボットは年間四〇〇台が「雇われて」いるが、これはフランス国内にあるロボットの一〇％

だ。コボットは工場へ到着すると、ただちに与えられた仕事は遂行するようになる。やったぜ、ビンゴ！　しかし悲しいことに、この新時代のスタートでは、善人と悪人のロボットがいる。ある種のロボットに愛情を抱き、また別種のロボットを警戒せねばならないのは、私たちだ。

孫正義（一九五七〜）は、優しくて先見の明のある日本人だ。一流の講演者である彼は、地球上で最もホットなシンクタンクの代表で、いつも次のような出だしでスピーチを始める。「私は、三年後の世界がどうなっているかよりも、三〇年後の世界を予想する方が得意です」。

韓国からの移民をルーツとする彼は、それが原因で差別的な扱いを受けた。この問題に直面すると、息子が一六歳になるとすぐ、彼の父親はアメリカ、カリフォルニア州のサクラメントにある高校へ彼を転校させた。そして彼は、その高校を数週間後に卒業する。

彼は、さほど勤勉ではなかったものの、やる気のある学生として、バークレーで学業を続けた。将来有望な実業家の彼は一九歳の時に、彼を教えた教授のひとりであるフォレスト・モーザー博士と共に、多言語音声翻訳機を開発した。そして彼は数年後に、その翻訳機を一三〇万ドルでシャープに売却した。二二歳で彼は日本に戻り、彼の会社、ソフトバンクを設立する。この会社は、たちまち重要な電気通信事業者となる。同時に彼は、日本のヤフー《Yahoo》のとてつもないボスであり、六〇歳の誕生日を日本で一番リッチな人物として（フォーブス誌によると一四〇億ドル）祝った。この超音速軌道を驀進する男の、唯一の間違いは、彼がドナルド・トランプのお友達であることだ。誰も完璧ではありえないものだ！　とことん楽天家で、想像力の尽きない彼は、なんと三〇年も前に、コンピュータの超知能を備えた「強化型人間」を予測していた。そのヒューマンビッグバンは、「技術的特異点《シンギュラリティ》」と呼ばれ、人工知能が人間の知性を越えてしまうことで、激変が起こると予想され、それは同時に地球を救うであろうパラダイムが大きく変容することを意味する。彼は自らのユートピアに確実に達するために、スマートフォンのマイクロプロセッサを製造する英国企業アーム・ホールディング社を三五〇億ドルで買収したところだ。その計画は、将来的に人間の脳に直接マイクロプロセッサを接続することだ。その究極の目的は、「スターウォーズ」や「マトリックス」の世界ではなく、「誰もが美しく、優しく、デジタルな」世界に生きることだという。

大いなる災いよ、こんにちは！だ。

私たち一人ひとりが博識なマイクロチップとなり、エデンの園再建を思い描くのである。この新しい力について、数多い実例の中からあげるとすれば、交通事故がなくなることだろう。デジタル業界のカール・マルクスのような革命理論家である孫正義は、電子的な世界へ飛び出した時代を過ごしたアメリカ・バークレーで発見した、この超特級《メガクラス》の半導体の可能性を、みんなのために、人工知能に適応させようと夢見ている。日本でヤフー《Yahoo》と阿里巴巴《アリババ》に初めて投資した彼は、一〇〇〇億ドル規模の新しいファンドを創設したところだ。それは新技術に関わるものでは、史上最大級の規模である。この金額は、シリコンバレーのエンジェル投資家たち一年分の総投資金額を上回る。最初の四五〇〇万ドルの投資先候補は、サウジアラビア、アップル、シャープである。

　その目的は、人間よりも賢いロボットを作ることだ。そんな挑戦をすれば、当然破産すると予想する人もいる。しかし孫氏は、それに気分を害することはない。というのも、彼はすでに破産を経験している。二〇〇〇年のインターネットバブルがはじけると、彼は破産しかけたが、その一七年後に彼の会社、ソフトバンクは八〇〇億ドルの評価額となった。ルームランナーでジョギングしながら、会議を招集するオフィスから、彼は終わりなき人類のレースを続ける。しかし悲しいことに、彼が自らに敢えて問おうとしない質問が一つだけある。この考えるロボットには、果たして魂があるのだろうか？

イーロン・マスクの宇宙計画

　ここに、宇宙征服の具現化をＮＡＳＡから奪い取った男がいる。過去を疑う人々に夢を売る商人、今を楽しむ人々に希望を売る商人の、イーロン・マスク（一九七一〜）は、ケープ・

カナベラル宇宙基地の軍人たちの鼻先で、デヴィッド・ボウイ（一九四七～二〇一六）の音楽にあわせて、大胆にも真っ赤なオープンカーを火星に向けて発射する。ナイス・ショットだ！　彼はこう締めくくる。「私は、宇宙空間を無限に漂って行く車というアイデアが大好きだ。その車はおそらく宇宙人《エイリアン》が発見するだろう」。

目下のところの彼の野心は、成層圏に関わるプロジェクトというものは、国家だけが担うのではなく、私企業もその役割を分担できると証明することだ。勇猛果敢な意欲と、一八〇億ドルの資金があれば何も不可能なことはない。スペースX社を所有するイーロンは、欧州宇宙機関のアリアーヌ計画よりも上の、宇宙産業のナンバー2になるのである。

宇宙産業界のスティーヴ・ジョブス（一九五五～二〇一一）ともいうべき、この男もまた、ご本家の先輩ジョブスと同様、天才肌で個性派だ。二〇〇五年、穴あきジーンズに色落ちしたTシャツで、ポーチ代わりにウォルマートのビニール袋をぶら下げて、ベトナム、ハノイでの宇宙産業会議に参加した彼は、最初の一言で聴衆を圧倒した。「こんにちは、私はスペースX社の社長です。私が来たからには、あなたがたはもうみんな死んだも同然です」。

ショートパンツをはいた、この挑発者は、一〇年で地球外生命体のテクノ的救世主となり、コミュニケーションの問題については、GAFAのお歴々にその場所をお譲りになるのだ。

彼を前にすれば、グーグルのラリー・ペイジ（一九七三～）とセルゲイ・ブリン（一九七三〜）、アマゾンのジェフ・ベゾス（一九六四〜）、アップルのティム・クック（一九六〇〜）、フェイスブックのマーク・ザッカーバーグといった面々は、地上のメディアを巡って小競り合いを続けているだけの存在だ。しかし彼は、夜空に浮かぶ星の中で歌うオペラ歌手のようだ。彼は二〇二五年までに火星を植民地とすることを約束している。やがてこの地球は増加する人類に、もはや十分な食料を供給できなくなり、人類の英知は、人工知能の支配を目の当たりにするだろう。その時になれば、火星への脱出か、ロボットによる専制主義体制か、どちらかを選ばねばならない。私としては地球に残るけれども。

デジタル業界の戦友たちとは異なり、彼には全く別の考えがあって、イーロンは製品やコストについて語ろうとしない。彼は基本のまま変わらない。電気自動車には賛成だが、どうして電気自動車は不恰好で、高価で、走行距離の制限があるのか？　電気エネルギーで、美しく、長距離を走り、素敵なスタイルのクルマができるはずなのに。どうして地球に帰還したロケットをスクラップにしてしまうのか？　そのロケットは修理できるのに。将来をなぜ石油資源に頼るのか？　石油はいつか枯渇してしまうのに。どうして列車の速度を制限するのか？　リニアモーター式の列車を作ればいいのに。そしてマスクはハイパーループという次世代交通システムを構想する。大きなチューブ内に敷設されたレール上のカプセルに乗り込めば、あなたは時速一〇〇〇㎞で安全な旅行ができるだろう。

次から次へとアイデアを発表する、この発明家は多忙を極めているので、それを引き継ぎたい人が自由に使えるよう、彼のプランはネット上で公開されている。ヴァージン・グループ会長のリチャード・ブランソンなら、乗った！と言うだろう。この最初のテストのいくつかが、フランスで始まっている。

諸々の雑事から解放された、親愛なるイーロン様は、スタートアップ的方法論を宇宙開発技術に応用する。彼の前の時代には、誰もそれが可能だと想像すらしなかったのである。彼は「ビッグ・ファッキング（本当はファルコン）・ロケット」と名付けたロケットを火星へ打ち上げようと準備している。そのロケットは、宇宙空間と地球を行き来するだけでなく、地上の巨大都市の間で旅客も輸送できるのだ。宇宙空間を通過することで時間を節約し、パリを東京から一時間の圏内にするという。

あり得ないことはない、かな？

二一世紀の、新大陸を発見したクリストファー・コロンブス（一四五一？～一五〇六）のようなイーロン・マスクは、二一〇億ドルを自由にできる、世界で第二一番目の大富豪だ。故郷の南アフリカでの子供時代から世界を駆け回り、ペイパル《Paypal》を創立し売却して、誰もが手に入れられるエレクトリック・ロールスロイスを作るためテスラ《Tesla》社を創立した。結婚して五人の子供、双子と三つ子のいるイーロン・マスクにとっては、何ひとつ「ノーマル」なものはない。彼は天才だが、やはり男だ。彼は最初の妻と別れて、二番目の妻と結婚、離婚、復縁、再度離婚し、さらにジョニー・デップの離婚調停中の妻と交際している。進歩は、昔からの風習を変えないし、デミウルゴスの発明者たち自身も、この世で禁欲するというわけにはいかないのだ。

栄光の狂気に取り付かれたイーロン・マスト（本名：マスク）は、不遇の時期、つまりテスラの納品が遅れる時期を経験せねばならなかった。ロボットが彼の足を引っ張ったのだ。株式市場では許されない失敗である。ウォールストリートは辛抱強く待てばよかったのだが、それはあり得ない！　そのため株価はわずか一カ月で二五％も下落した。ポルシェ、ジャガー、アウディのような余裕のあるライバルたちが、自社で作った電気自動車を市場に投入してくるだろう。テスラは、たちまちこの分野での唯一の企業ではなくなるはずだ。もしテスラがそこに残っているとすれば、である。テスラ・グループは、二〇一九年に二億三〇〇〇万ドル、二〇二〇年には九億二〇〇〇万ドルを返済しなければならない。この会社の未来は、たぶんそのあたりにかかっている。[訳注1]

火星について夢見ることと、地に足を着けることとの両立は可能だ。常に伝統の打破を考えるこの億万長者は、株主たちへ極めつけの提案をした。これから一〇年間、自分の報酬をゼロとすること、……そしてテスラの資本金が六〇〇〇億ドルを超えれば、五〇〇〇億ドルのストックオプションを自分に与える、という案である。

お金がお金を呼び込むということは、よく知られた事実だが……。

二〇一八年の復活祭の日、イーロンはゴシップの世界へ一石を投げ込んだ。フェイスブック上では、泥酔して昏睡状態で横たわる彼が見える。これは「テスラが破産した！」という致命的な状況を表す場面である。この滑稽な場面の後に説明が続く。「テスラが完全に失敗したことを報告しなければならないのはとても悲しい。失敗なんてあんまりだ」

そして、サインがエイプリルフールとしてあった。

これを株主たちは高く評価したのである。

危ない橋を渡るイーロン・マスク

その三カ月前、著名なトラブルメーカーにしてマイクロソフトの取締役であるジョン・トンプソン（一九四九～）は、ウォールストリートからトレーダーにささやかな恩恵を施していた。「テスラは、今後六カ月以内に崩壊するだろう。この会社は間違いなく危機に瀕している。テスラはフォードの二倍の価値があるが、フォードは去年（二〇一七年）、六〇〇万台の自動車を作って七六億ドル稼いだ。しかしテスラは一〇万台の自動車を作って二〇億ドルを失ったのだ」と語った。そして今度はブルームバーグが、テスラのこき下ろしに加わった。「イーロンは一分ごとに八〇〇〇ドル（年間四〇億ドル）を無駄にしている」と。テスラの凋落を示す最新情報としては、モデル3の予約に一〇〇〇ドルの内金を払った四五万人のアメリカ人が、その納車が一年から二年後になると知らされたことである。自動車はやはり、一九六〇年代に私たちを魅惑していた頃のシトロエンDS《デ・エス》に限ると思う。

私たちのささやかな幸せの一つ、すなわち自動車を運転する喜びを、自動運転車が奪い去ってしまう前に、テスラが私たちの今をより美しく輝かせることを、神は望まれるであろう。

三万五〇〇〇ユーロを払えば、三〇分の充電時間で四〇〇㎞の自動運転が可能だ。これは、現時点でのいかなる自動車メーカーも太刀打ちできない。しかし不運は続くもので、カリフォルニアの高速道路を走っていたアップルの技術者が、自動運転の警告時間内に反応できず、コンクリートの防護壁に激突してしまった。それは、フロリダとオランダでの事故死に続き、テスラが関わった事故の三人目の死者である。そして世界中の自動運転車のメーカーがあれこれと質問するだろう。その答えとしてイーロンは言う。「私は、工場に寝に戻る。車のビジネスは地獄のようなものだ」。

確かにそうだが、悪魔は彼なのである。

テスラの企業業績の発表のたびに、イーロンは危ない橋を渡っている。二〇一八年八月一日に、テスラについて彼は、二〇一七年の二倍の損失、つまり七億一七〇〇万ドルの損失を報告するが、生産目標（六月の最終の週までに五〇三一台の車を生産した）を実現した、と報告することで、関係者を安心させた。職人による「少数の幸せな人たち用」から大量生産の自動車への移行は、生産工程の完全自動化、世界中の下請けに支えられている競争相手を作り出していく。もしそれが、自動車産業の未来だとするなら、どうだろうか。その最初のステップとして、二〇二〇年に年間五〇万台を製造可能な工場が中国に建設されるだろう。続いてドイツに同規模の工場が建てられる。そしてイーロンは誇らしげに叫ぶ。「本当の自動車製造メーカーになった気がする」と。

彼は工場の「完全自動ロボット化」について、「機械を製造するのは機械となるだろう」と言う。そしてまた新しく意見をコロリと変える。マスト氏は、二〇一八年八月半ばに、株価が四二〇ドル（前相場と比べて二〇％増）に達したら、すぐにウォールストリートでテスラの全株式を非公開にする用意があると、トランプ大統領風にツィートで宣言する。こんな株価操作は違法なのだ。ニューヨークの紳士たちは直ちに、自分の株価を刺激しようとする騒々しい、この坊やを非難して「気でも狂ったのか？」と叫ぶ。アメリカのエリート中のエリートであるアメリカ株式市場当局が、証券取引の調査に乗り出す。この億万長者のCEOイーロンは、けたたましいキャンペーンに身を投じて、値上がりが決まっているサウジアラビアのファンド（ちょうど五％の株を取得したところだった）による「より安全な」資金調達の成功を報告する一方で、他の投資家たちとの協議を開始する。「テスラのために、とても気前のいい株主を希望する」と語るマスト氏にとってこれは最後のチャンスとなるだろうが彼は、この約束を守るだろうか。彼は、週に一一〇～一二〇時間も働いて、睡眠薬がないともう眠れないと告白する。こんな調子だから、彼が道から飛び出してしまうのがよく理解できる。

それもテスラ車に乗ってね！

行き当たりばったりのイーロンは、株主たちが「上場企業として残る方が好ましい」と考えていることを認めて、降伏するだろう。役員の配置転換は、テスラ社にとって三〇億ドル、マスト氏にとっても六億五〇〇〇万ドルのコストが掛かり、ＣＥＯの椅子は不安定になる。「テスラは、不注意による企業リスクを最小化するために、より強力で経験豊かなリーダーシップが必要だ」と心配性な経済アナリストの一人は大げさに言うだろう。まさに一荒れしそうなのである。

経営者というものは、夫と同様にあまりお勧めできる存在ではない。生え抜きのアシスタント兼生活全般を取り仕切る使用人として一二年も働いていた女性が、昇給の希望を申し出た。イーロンは恩着せがましく答える。「それなら、二週間の休暇を取ればいいですよ」と。そして彼女が休暇から戻ると、彼は満面の笑みで彼女を迎える。「この二週間、あなたがいなくても無しでも仕事はうまく回っていたのに、どうしてあなたを雇い続ける必要があるでしょう。あなたはこの会社を辞めることができますよ。後で小切手を受けとってください」と言うのだ。完全無欠な人など、どこにもいやしないのだ。

それゆえ、ロボットの残酷な世界では、全てが夢のように美しいというわけにはいかない。マッキンゼー・グローバル研究所によれば、今から二〇三〇年までに、自動化によって、予想よりはるかに多い三億七五〇〇万人分の雇用が消滅するだろう。そしてこの自動化は、古くからの労働力を押しのける新たな労働力が必要だ。あらゆるロボットは、ハードウェアの制御と、ソフトウェアとアルゴリズムの開発を必要とする。旧来の職種の六〇％が潜在的な犠牲者になるかもしれない。この労働市場のアップグレードには、時間とお金がかかるだろう。排除される三億七五〇〇万人分の雇用というのは恐ろしい数字で、世界中の労働力の一四％に当たる。あらゆる部門が影響を受けるだろう。予防措置としての職種の再編成は、来たる五年間の政治上の懸案事項となるだろう。一〇年後に必要とされる職種の五〇％が、今は存在していないのだ。保護された場にいるマネージャーと医療従事者、教師、そしてさらに保護された場にいる庭師と配管工は、この地球のアンドロイド化に対抗する最後の砦である。

これは曖昧な予測だということを信じることにしよう。というのも統計は、数字を事実と異なるように見せる技術なのだから。より現実的な専門家は、「最小に見積もって七五〇〇万人分の雇用が失われる」と報告している。
しかし、どうして彼らは敢えて「最小に見積もって」と言うのだろう？

ロボットが働く世界

スエードのブーツと粋なモカシンを生んだUGG《アグ》を知らない人がいるだろうか？　そのイメージ戦略を担当しているのは、アメリカの西海岸にある広告代理店だ。その最新のスポット広告は、ロボット工学の寓話である。ブーツを履いた白髪まじりの六〇代の男がくつろいで、イームズの椅子に座っている。彼は、映画「ビッグ・リボウスキ」に出演した天才俳優ジェフ・ブリッジス（一九四九〜）だ。素晴らしいサロン、薪の炎、ウールのカーペット、革張りの家具だが、雰囲気は暗い。彼は一人きりだ。すると突然、アーム付きの家庭用ドローンが、彼のまわりに風を巻き起こす。一台目のドローンは彼の読んでいるニューヨークタイムズのページをめくり、二台目のドローンは有機農法で作られたジュースを彼に差し出し、三台目のドローンは彼の髪をとかす。このブランドのスローガンがこのシーンを区切り、ストーリーのオチをつける。「Do nothing」と。何もしないでください……退屈と孤独で死ぬこと以外を除いて。

「地下鉄で通勤し、仕事をして、帰って寝るだけ」のロボット的人生を誰が望んでいるのか？

しかし、アメリカ合衆国の財務長官、スティーブン・ムニューシン（一九六二〜）はもっと楽観的だ。「ロボットと人工知能による革命は、一〇〇年間は起こらないだろう。私にとって、人工知能の爆発によるアメリカ社会の雇用崩壊は、私の視野にはない」と言う。フランスの経済学者、ニコラ・ブズー（一九七六〜）もまた、雇用がなくなることはないと証明している。哲学界の星の王子様であるリュック・フェリー（一九五一〜）もこれに賛同している。

それとは対照的に、ゴールドマン・サックスは、二〇二二年以降、運転手の不要な自動運転車が一年間に一〇万件の雇用を失わせるだろうと報告する。実際の数字は、両者の中間といったところだろうか。それにしても、私たちの社会の上には、どのようなダモクレスの剣がぶら下がっているのか。問われているのは、私たちの経済モデルと社会モデル、つまり社会生活のモデルなのだ。クラウド＝雲の中に頭を突っ込み、足はもちろん地球を踏みしめてはいるが、火星の植民地を開拓しようとするイーロンは、一一六人の人工知能の専門家と共に、殺人ロボットへの警戒を世界中に呼びかける国連への公開質問状[訳注2]に、ためらいなく署名する。彼らは、人間を保護するために機械を犠牲にする必要がある、と主張する。「仕事の世界は墓場ではない」のである。

デル・コンピュータのシンクタンクは、二〇三〇年には、私たちを食べさせる仕事の八五%は、今現在は、存在していないと、さらにあらゆる関心や専門知識については、未来でもそういう仕事があるはずだと予測する。だがイーロン・マスクは、これに異議を差しはさみ「わずかに一握りの仕事だけが人間に残される」と言う。ならば、その後の時代は、人間は時間を過ごすために別の方法を見つけねばならないだろう。

悲しみよ、こんにちは！なのである。

果たして文豪ゲーテ（一七四九～一八三二）は予言しなかっただろうか。「もし猿が退屈できるなら、猿は人間になれただろう」と。私たちは人間の惑星から猿の惑星へ向かうよう不気味な運命にとらえられているのか？

それに、私たちは怖れおののくばかりだ。

閃きのない人工知能

私は、パリでの講演を「恐怖より希望を好むべきだ」という言葉から始めたバラク・オバマ元大統領（一九六一～）を信頼したほうがいいと考える。希望とは、世界中で最もお金のかからない珍しい商品だ。私は、この珍商品をいつも大切にしているし、それは私に長寿をもたらす血清のようなものだ。

私たちの生きた二〇世紀は、ナチズムと共産主義という二つの全体主義を経験した。そして新たな二一世紀は、イスラム主義とデータ主義という二つの全体主義を経験しようとしている。パリ東大学、政治哲学科の女性教授シャンタル・デルソル（一九四七〜）の主張は、次に述べるようなものだ。私たちの日常生活におけるデータの干渉への警告で、敢えて私は彼女のようにここまで飛躍しようとは、思わないが。

女性社会哲学者であるシャンタル・デルソルはもっと直接的に語る。「これらの災いは天から降ってくるのではありません。デジタル魔女の大釜で、これらの災いを煮詰めてしまったのは私たちです」。彼女にとって、このデータ至上主義は、私たちを取り巻く物質主義をイデオロギー的なコンセプトとして定義するものである。

西洋世界があやまちを犯したのは、未来への影響を十分に考えないまま、物質主義が、現在の社会構造を少しずつ崩壊させていくのを放置したことだ。それゆえシャンタルは「未来の人々は、もはや自分を分子や遺伝子の集まりとしてではなく、アルゴリズムの組み合わせとして定義することでしょう」とはっきりと語る。

データ至上主義によると、情報データの蓄積は、私たちが自分自身を知るよりも、もっと細かく私たちのことが分かると言う。それゆえ、私たちの自尊心、人間的な営み、感情、さらに投票活動までが、このテクノロジーによる決定論を前にすると、時代遅れのものになってしまうのだ。

フランス人の二人に一人は、買い物袋を持って付き添ってくれる買い物用ロボットや家事手伝いロボットと共に暮らす心の準備があると言う。しかし寛大な態度はそこまでだ。わずか八％だけが、ロボットとオフィスの共有を受入れ、さらに車まで共有できるのは六％にとどまる。紳士淑女のロボットの皆さん（そもそもロボットには性別があるのだろうか？）、あなたがたは掃除や食器洗いは上手だが、他のことには向いていないようだ。ロボットとの共同生活は先が思いやられる。神さまは私たちを守ってくださるが、それは神さま自身がアルゴリズムでない限り、である。女性哲学者シャンタル・デルソルの結論は、恐怖で私たちを凍らせる。「データ至上主義は、マルキシズムの中に流れる人間性を根本的に変質させてしまうイデオロギーだ」と彼女は言う。

私の個人的イデオロギーはもっと平凡なものだ。私は、未来は変えるけれども、魂そのものは変えない、としたい。ゼネラル・エレクトリックを創立したトーマス・エジソンは、もっと過激な言葉でこう言った。「人工知能は、自然の愚かさとは比べるべくもない」。そしてこうも言う。「天才、それは一％のひらめきと、九九％の汗からなる」（あまりにも言い古されたこの格言を発明したのは、まさに彼なのだ）

人工知能が、私たち人間の知能を衰えさせるかも知れない可能性を、私は恐れない。私は人工知能がこの世にもたらすはずのあらゆる積極的な面を楽しみにしているが、創造面を考えると、人間の知能が勝利するのは変わらないと思う。マシーンは汗をかかないし、ひらめきもしないのだから。

広告会社マッキャンエリクソンの日本支社が、最初にロボットのクリエイティブ・ディレクターを雇ったのは二九年前である。ロボットの彼は長年にわたって、世界の数々の広告・コミュニケーション関連では最大規模の「カンヌライオンズ 国際クリエイティビティ・フェスティバル」で最優秀賞を獲得するよう、長年にわたって期待され続けている。ソニーは、人工知能《AI》にアーティスト用の曲を作曲するように求め、ヒット曲の登場をずっと待っている。一方で、写真映像をシェアするサイトEyeEMマガジンは、アルゴリズムに写真表現の新たな才能を発掘する仕事を任せたことを自慢している。それはひとつの成功ではあろうが、はたしてどこに創造性があるのか？　私は騙されたくないし、恥知らずにもなりたくはない。人工知能は、産業や技術の想像力を驚異的に加速させる。数えきれない発明の中で、明日にでも寝そべって運転できる車ができるだろう。なんという進歩だろう！　幸せに暮らすためなら、寝そべって車を運転しよう。これに私は賛成だ。

グーグルは、「コーデッド・クチュール《データ仕立て》」アプリケーションで、個人情報データを追跡し、あなたの活動に最も適した服装を提案する。人は外見で判断される。これには私も賛成だ。

しかし、これとは対照的だが、人工知能は、明日にでも第三次世界大戦を、殺人ロボットたちの戦争を起こすことができるだろう。これを今日まで、いかなる国際法規もその使用を禁じていないからだ。故スティーブン・ホーキング博士（一九五九〜二〇一八）は、戦争のテクノロジーにおける火薬、核兵器に続く、この第三の革命[訳注3]について語っていたのだが。

私はこれに反対だ。

軍事ロボットへの警鐘

安全保障への渇望は、ともすれば自らの防衛をマシーンに委ねることにもなりかねない。軍事の分野において、その解答は冷酷だ。人工知能は、人間の判断抜きで、殺人を認めるマシーンが開発可能だ。シリアなどで、遠隔操作されたドローンが、攻撃対象の周囲にまで被害を与えるのを目の当たりにすると、いつの日か、殺人任務を決めるのはドローンそれ自体になるのでは、と心配になる。

軍事ロボット工学の最先端技術者たちは、すでに二〇一五年から世界各国の政府に対して警告を発している。その結果は、果たしてどうだったのか？　どの政府も沈黙したままだ。二度目のアピールは二〇一七年の八月に行なわれたが……。

そして同じような死の沈黙が繰り返されたのだ。

ビデオゲームの戦士は、日々の生活ゲームの中では市民権を持っていない。世界が終末を迎えてしまう危機は常に存在する。強権を持った狂った独裁者や心を病んだテロリストが、この新しい水爆にも例えられるロボット兵器を手にするかもしれない。私はイーロン・マスクに、このような最後の言葉を残す。「私は警鐘を鳴らし続ける。だが人々は、ロボットが街に出て、人々を殺しはじめるのを見ないかぎり、どう対応すべきか分からないだろう」と。

アメリカ軍は、中国軍やロシア軍よりも先んじて、こういった軍備を一番最初に整え、自律型兵器による戦いに備えている。アメリカ軍は、ロボットによる戦争が起きるのを当然だと考えている。自律型兵器の武装への動員は、広島・長崎に原爆を投下したマンハッタン計画を彷彿させる。イラク戦争のベテランであるショーン・マクファーランド中将（一九五九〜）は、自動攻撃兵器を搭載した車両が急速に広まる未来を予言している。それ自体が引き金を引くかどうかを決定する兵器のタブーは、常に一つだけなのか？　スタンリー・キューブリック監督（一九二八〜一九九九）の映画『博士の異常な愛情　または私は如何にして心配するのを止めて水爆を愛するようになったか』の主人公ストレンジラヴ博士のような人物が仕事に復帰するようならば、あらゆる事態が起こり得る。

当時アルカイダのナンバー・スリーだった、ムハンマド・アティーフ（？〜二〇〇一）を二〇〇一年一一月に殺害した最初の殺人ドローンは、その存在を歴史に刻みつけた。それから二〇年も経たないうちに、世界のロボット化はありふれたことになってしまった。
警戒せよ、そしてすべての人々よ、避難せよ。

イラクとアフガニスタンは、最初の遠隔操作型の地雷除去装置であるパックボット、つまりセンサー、サブマシンガン、グレネードランチャーを装備したキャタピラー付きミニモンスターの実験場だ。これがさらに効果的だとなれば、近い将来に、自立型致死兵器《Lethal Autonomous Weapons》が出現するだろう。それは、陸上、海上、空中で、全方向に攻撃が可能で、恐怖や痛み、不名誉を感じることなく、命令には絶対服従で、戦没者墓地や家族を失う悲しみも知らない。これに投資している人々にとって、最終的な世界征服がないならば、戦士のいない戦争、意識の存在しない戦争、限界のない戦争が起こる。だからドルが決着をつけるはずだ。アメリカ合衆国国防総省はニュー・メキシコ州の砂漠にあるロス・アラモス国立研究所に年間二〇〇億ドルを費やしている。かつてそこは、麗しき西部劇の舞台だったが、今は忌まわしいロボット兵器の土地なのだ。

アメリカ国防総省の挑戦は、曖昧なところが全くない。「奇襲戦略を策定し、同時に敵からの奇襲に備える」というものだ。

ドローンの産みの親について語るとしよう。人間の意志が全く介在しない、この連続殺人鬼は、ステルス性を持った無人戦闘攻撃機、ノースロップグラマンX-47Bペガサスだ。

アメリカ空軍のポール・セラード将軍は、「一〇年後にアメリカ合衆国は完全自律型戦闘ロボット技術を獲得するだろう」と明言したが、これを否定する声はどこからも聞こえなかった。民主主義のアメリカに比べると、中国やロシアはためらうことなく、この道を邁進する。子供たち、そして子供たちの子供たちを思うと、人類は恐怖に震え上がる。道徳を求める声が上がる。

アルデバラン・ロボティクスが買収された後に、ソフト・バンク・ロボティクスとなった会社を、二〇〇五年に創業したジェローム・モンソーはこのように抗議している。「この技術を導入すれば、戦争が全く責任を問われないものとなるでしょう。というのは、人間に向けて引き金を引く意思決定の責任の道筋を辿ることがもはや不可能になるからです。そして、さまざまな誤作動や技術的転用が生じることは言うまでもありません」。

かつての「ラブ・アンド・ピース」の時代は、なんと良かったのか。「ラブ・アンド・ピース」の時代には、致命的な第三次世界大戦の勃発を心配していなかった。クレイジーなデジタルかぶれの新人類や、勝手に戦争を始めて地球を破壊する殺人ロボットを想像できなかったからだ。世界各国の政府は、ヒロシマ以来、どんなに独裁者が戦争願望や自殺願望で正気を失っても、私たちを守ることができていたのである。あのドナルド・トランプ（一九四六〜）でさえも努力しているのだ。それは、民主主義を基盤とした私たちの惑星が存続するための使命なのである。

私たちを守る民主主義を守るのは、世界の民主主義の市民である私たちである。

人工知能：奇跡か、それとも蜃気楼か

人工知能を使うと

新たなるデジタル共和国では、ただ一つの言葉しか頭に浮かんでこない。それは人工知能という言葉だ。

平凡な定義：一般的、あるいは単純な方法で、予想外の解決法や新しいアイデアを生み出す能力で、人間が行なう仕事を、その知能を使って機械にさせる科学。

経済的な定義：人工知能開発の億万長者・李開復《リ・カイフー》（一九六一〜）の科学で、彼に成功をもたらした座右の銘でもある。「データがあればあるほど、製品はより良くなる。製品がより良くなれば、ますますデータが集まる。より多くのデータが集まれば、より多くの才能を引き付ける。より多くの才能が集まれば、製品がもっと売れる」というように証明されるものだ。以上、証明終わり。

デジタル的定義：私たちに不老不死を予言できるほどに、全ての悪を根絶できる万能薬である。

人間はこの万能薬を夢に見ることができるが、人工知能はまだそれを実現していない。

人工知能が流行りものだとしても、それはどうでもいい。この一年で『ル・モンド』紙には、これに関連した記事が二〇〇本も掲載され、ＧＡＦＡ、マイクロソフト、ＩＢＭと、彼らの背後に控える有象無象の奴隷たちによるたゆまぬキャンペーンによって、人工知能は躍進している。人工知能は不可能を可能にすると言われているが、容量不足で現在は実現できてはいない。情報のデータベースは何千人もの専門家の研究の結果だから、結局、時間と資金がかかることを忘れている。グーグル・ディープ・マインドによって開発されたコンピュータ囲碁プログラム、アルファ碁が、囲碁の世界王者に挑み、それ以降は伝説化された一〇手目を打った時、偉大な棋士たちの一五万以上の対局を、アルファ碁は既に分析していたのだ。人間は地球上全ての情報データをパラメータ化することは決してできないし、ましてや七〇億の地球人全てを電子チップで結び付けるなど不可能だ。旧世界が終焉を迎えるのは、今日明日のことではない。しかし、その時はやがて訪れるだろう。そして、その時代を幸せにできるのは私たち人間なのだ。

とは言っても、人工知能の最初の天才的な一手が、その特徴を示している。一九五六年のダートマス会議で、ジョン・マッカーシー（一九二七～二〇一一）によって提案されたのが人工知能である。対立する知性と人工性との結合が、科学的な、そしてメディアでの想像力をたちまち刺激していった。そんな些細なことで、誰もが驚いたのである。その結果、人工知能というテーマは、あらゆるシンクタンク、サミット、会議を独占して、サロンが開かれることになる。

大いなる未来の話が語られて、現在というものがどこかへ行ってしまい、科学者、アナリスト、エコノミストが語る内容を聞いた各企業の社長は恐怖に陥った。摑みようのない進歩を目の当たりにして、時の流れの速さに途方に暮れてしまう。それを解決する最善の策は、知性を持った人工知能を所有することだった。

楽観主義でいながら、しかし実用主義で……。

人間の介在しない機械は、単なる機械のままであり、その機械式知能は、人間の知能によってしか能力を発揮できない。少なくとも、さらに詳しいことがわかるまで、だ。人工知能は賢明である。なぜなら、人間をコピーしているから。それゆえ未来は、人間本来の力と人工の力が巧みに融合したものが主体となるだろう。どうか、繰り返しを許して欲しい。しかし繰り返しは、私の広告という職業での最大の強みであり、繰り返すことで評判が生み出せるのである。

人工知能は、健康業界への進出を始めた。それも当然で、私たちの関心が最も高いのは、年を取っても若々しくいることだからだ。アメリカの研究チームが、とあるアルゴリズムの開発に成功した。それは一〇万枚もの皮膚の腫瘍画像を学習したアルゴリズムで、メラノーマとほくろの違いや、ガンと良性腫瘍の違いを診断できる、皮膚科の名医と同じくらいに高性能なものだと分かったのだ。「この発明と皮膚医学との関係は、MRIと放射線医学との関係に等しい」とキュリー研究所の腫瘍学者であるアラン・リヴァルトウスキーは主張する。また人工知能には、臨床医の判断を狂わせかねない人間的なエゴも、なんとしても手術したいという欲望もない。

このような人工知能を、どうして愛さないでいられようか？

もうひとつの革命として、人工知能はアルゴリズムを使って、僻地医療に役立つ遠隔治療を推し進める。IBMとそのQ&Aシステムであるワトソン・システムの闘いがそれである。二〇一一年からすでにワトソンは、百科事典の知識と言語理解をアルゴリズム化しながら、一九六四年から続いているアメリカの長寿クイズ番組「ジェパディ！」に挑戦して、勝利を収めた。

ワトソン・システムの成功によって、医学と科学の情報で頭の中がいっぱいいっぱいになっている医師たちは、IBMの助けを争って求めるようになった。しかし残念なことに、四年の歳月と六〇〇〇万ドルの資金を投じながらも、IBMの監査役が「このシステムは、臨床実験の準備が整っていないので、患者を治療するために使用するのを禁止する」と通知したのである。

どうして、このような人工知能を発展させないでいられようか？

ネット上で浪費される時間の無駄をなくすため、元グーグルのプロダクトマネジャー、トリスタン・ハリスは、抗ネット依存症用のプラットフォーム、「タイム・ウェル・スペント」を開発した。ネットユーザーに対して、通知の数を減らすこと、またネット画面を構成し直してアプリの数量制限を提案するものである。

一方、大西洋の東側では、フランスのスタートアップ企業であるドリーム・アップ・ヴィジョンが、糖尿病性網膜症（患者数四億二〇〇〇万人）の検出に挑んだ。その結果、眼底写真から、警戒すべき部分をわずか二秒で検出するアルゴリズムを開発した。私たちフランス人が、医療用のスピード写真を発明したのだ。これを、病院や遠隔医療センターに、またセルフケア用に、さらには薬局にも設置することで、人は視力を失わずにすむ。病気の予防は医学の未来のみならず、いつの日か、会計検査院の悩みの種である社会保障費の赤字を補塡できる、唯一の方法ではないだろうか。

もうひとつの、フランスのスタートアップ企業であるオウキン《Owkin》を紹介しよう。オウキンは、ＩＢＭを追い越して、有効な抗ガン剤治療法の予測に挑んでいる。

四五万人の患者データを一七年間収集し続けたデータベースから、同じ病気の患者のデータと突き合わすことで、どう治療すればよいかを診断するのである。

こういう人工知能ならぜひ発展させたいものだ。

同じようなガンとの闘いに挑むボルドーのスタートアップ企業、Ｃ－ＭＡＰＰＳは、公衆衛生の見地から挑戦していて、薬物の相互作用を調べている。このような挑戦に次ぐ挑戦によって、ビッグデータは物事の見方《パラダイム》を変えていく。

かつての情報データは、単なる結果だった。実験と比較しながら、対照した仮説をゆっくり進めていたのが従来の研究である。しかしこれからは、情報データはエンジンである。「情報データ自体に語らせる」ようにすると、私たちが受けるかもしれないリスクを、情報データ自身が語りはじめるのだ。

このような人工知能を採用しないはずがない。

応用数学のアメリカの専門研究者を前にして、フランスの研究者は、基礎数学を選択した。彼らは、人工知能の核心をなす、この分野での世界の第一人者たちだ。この専門分野は、マシンラーニングの開発において非常な能力を発揮する。その複雑さに基礎数学は直接取り組むが、アメリカの技術はサービスの開発にとどまっている。

このような人工知能を誇らずにいられようか？

とはいえ、世界で最も優れた機械設備であっても、不備はつきものである。データの信頼性については欠点もある。いくつかの実例から、ごくありふれたケースを挙げてみよう。それはMRI検査の時だ。老人は若者よりも検査中に体を動かしてしまうので、老人の検査値が狂ってしまうという例である。情報データにはバイアスがかかることも多々あって、より正確に調べようとすればするほど、私たちの欠点を内包したままの情報データになってしまう。そして私たちの代わりに、将来を予測していく。こうして数値の正しい意味が失われて、情報データは横滑りしてしまう。

例えば二〇一六年のことだが、とある美人コンテストの審査委員が人工知能に代わった。その結果、人工知能は黒人の美人候補をリストからほとんど排除したのである。それぞれのデータはアキレス腱のような弱点を持っているが、ビッグデータにおけるアキレス腱の存在は無視できない。ビッグデータは、過去の情報しか参照しないので、人工知能は過去の知能でしかない。昨日から今日を定義しているのだ。要するに静止している、あるいは立ち往生しているのだ。

私たちの創造的な知性は、未来を予測する研究に関して、新しいアイデアと自分たちの未来に向けた直感をベースに、新しい世界への道を開く。この創造的知性は、未来のために自らを動かす期待、風潮、傾向から生まれる。その挑戦は、世の中に向けて新たな扉を開きながら、社会を前へ進めることだ。創造的知性は、ビッグデータの懐古趣味的な創造力とは正反対なのである。

メガデータベースは、問題となるだけではなく、同時に解決策にもなる。もしサンプルが少なすぎたり、情報データが雑多すぎたら、システムはダウンしてしまう。グーグルとフェイスブックによって、データの蓄積や選別用のセンターが設けられて、その存在が個々のデータに意味を与えようとしている。しかし現実は、そんなに簡単なものではない。いかなるコンピュータでも、「歌手のエルヴィス・プレスリー（一九三五〜一九七七）はメンフィスで生まれた」という、こんな簡単な文章さえ理解することができない。歌手は職業、エルヴィスは名前、メンフィスは都市と、改めて再定義しながらコンピュータ用に文章を書き直す必要がある。

またデジタルに対する人間の優位性は、批判精神があることだ。人工知能は記号に対応する精神機能しか持たない。アルゴリズムには意識がない。申し訳ないが、良心のない科学は魂の荒廃だ、という私の大切にしている信条を彼らに思い出させたいのだ。

人工知能は、法律とか医学の分野で、将来のリスクを減らすために過去のあらゆる事例を参照する比類なき能力を持つ。その力は私たち人間をはるかに凌駕する。しかし、病気の予防は、治療とは異なるものだ。その境界線は別のところにある。哲学者で閣僚の経験もあるリュック・フェリー（一九五一〜）はこう書いている。「人工知能は、会計監査人や放射線技師、また外科医の代わりも勤まるだろうが、決められた道筋を外れた途端に迷子になってしまう」。それは垂直的で順序立てた方向、つまり階層とか上下関係ならばいいのだが、残念なことに水平方向、つまり全体をフラットに見る能力ではないので、とても単純なことが解決できない。そして人工知能は、感情、自発性、自己抑制、判断といった能力、すなわち人間的な知性を手に入れようと夢見ている。

それははたして夢だろうか、現実だろうか？

手段としての人工知能

一九八〇年代に人工知能に関する最初の一歩を印したのは、未来の世界を描いた作家やシナリオライターだけだった。ハリウッドの映画界は、この時一度だけウォールストリートの入り口の扉をノックしたのだ。人工知能は今や発達し続けているが、それを支配したり、統治する方法は未確立だ。人工知能は言葉を翻訳はできるが、翻訳した内容を理解していない。人工知能の学習は、それぞれの内容で個別に行なわれるが、人間の子供は全てを同時に学ぶのだ。コレージュ・ド・フランスの教授で、フランス科学アカデミー会員のジェラール・ベリー（一九四八〜）が書いたことに、私はほっとする。「人間はのろまであまり正確ではないが、非常な創意、才覚に富んでいる。コンピュータは速くて正確きわまりないが、全く間が抜けている」。しかし、この新たな力が、必要以上に巨大で、全てを超越しかねない勢いの、何人かの超打算的なプレイヤーの手中に握られているのである。

今回だけ、私たちは道徳や倫理が、技術よりも上に立っていることを要求する、と決めてはどうか。人工知能は、新しい力、すなわち新しい石油資源に等しい、データによる経済支配を生み出す。だからこそ基本的な倫理綱領を、データに強制すべきである。それは世界の将来がそれにかかっているからだ。哲学的であると同時に概念的な、宗教的であると同時に非宗教的な、政治的であると同時に社会生活的な、人間性の根本的な限界が改めて定義され直している時に、人間性の欠如した存在よりも、人間そのものに権限を与えるべきである。ロシアのウラジーミル・プーチン大統領（一九五二〜）は、「人工知能を支配する国が『世界の支配者』になるだろう」と表明して、なんともはやな人徳の理想像を演じてみせた。倫理の究極の目的とは、人間性を守る防壁となることだ。それゆえ未来の私たちは、倫理を身近に置くべきである。最も強力な守護者である倫理とは、私たちの社会生活の基盤を守り、文化的な多様性、対抗する勢力が複数存在すること、自由競争、生態系の保護という価値観を擁護することである。

本当に奇妙な時代だ。というのも私たちは神を恐れるものの、悪魔は恐れない。もし悪魔を目の前にするとしたら、悪魔に対抗する長期的施策を作成することが必要不可欠になる。持続的な保護と公平な利益分配を融合することだけが、唯一の有効な戦略だ。数学の世界で最も権威あるフィールズ賞を授与されたフランス人数学者、セドリック・ヴィラーニ（一九七三〜）は「人工知能は、このような人々の感じる怖れによって、その存在自体がおびやかされている」と明言する。人工知能を制御された環境下で発展させるかどうかは、わが政府の政策次第である。人工知能を恐れるのは、私たちの存在価値を貶めることであり、人工知能を支配することは、私たちの価値を高めるのだ。

人工知能は手段であり、目的とすべきは人間なのである。

そのため、GAFAMI（GAFAにマイクロソフト《Microsoft》のMとインスタグラム《Instagram》のIが加わったもの。こういう名称はアルファベットの字数を使い切るまで終わらないだろう）が、好き勝手のやりたい放題に走らないように、人工知能の開発を制御することが緊急課題である。シリコンバレー企業の全てが、この身内的なGAFAクラブへの参加を夢見ている。

一流の信念を持っているイーロン・マスク（またもや彼だ）は、善なる人工知能を守り、悪の人工知能の開発を警戒するオープンAIというNGOを設立した。ある者はユートピアだと騒ぎ立て、またある者は公徳心からだと応じるが、実際そういうものは必要である。知性や知能の最良の点は、それが人間の知性であれ、人工知能であれ、人類の幸福に寄与するということだ。すでに、各国は「善なるテクノロジー」の研究の一本化を考えている。一方、被告席に座るGAFAは、自分たちを弁護するための「人工知能」パートナーシップを創立した。彼らは、過去の過ちを避けて、法的な規制の範囲内で公権力を支援するため、人工知能の運用に関する共同憲章を協力して制定しようとしている。

すると口数の多いイーロン・マスクは、直ちに別のスタートアップ企業ニューラリンク《Neuralink》を作って、人間の脳を直接コンピュータに接続しようとしている。それに私は同意はするが、親愛なるイーロン様は、まずはご自分に心というものをきちんと移植することをお考えになるべきだろう。

人工知能の多岐にわたるデジタル的可能性は、広告にも影響を与えている。広告フェスティバルの女王である広告代理店BETCでは、テレビ局のカナル・プリュスの新番組シリーズの発表で、ローマ教皇の映像を使った。しかし、それは本物の教皇様ではなかった。架空のアメリカ人教皇ピウス一三世に、アメリカ人俳優ジュード・ロウ（一九七二〜）が扮したIBM提供のTVシリーズ「ヤング・ポープ　美しき異端児」の映像であった。フェイスブックやツイッター、ユーチューブ、デイリーモーションに寄せられた四〇〇万件もの投稿を分析し、さらに不道徳なメッセージを完全に除去した後、「人工知能マン」が、聖書に書かれた言葉を使ってリアルタイムで返答する。時代を超えた二〇〇〇年前の古めかしい言葉は、ローマ教皇の永続性と人工知能の超現代性との合体によって見事なまでの調和を見せてくれる。このキャンペーンから抜粋した三つの言葉がそれを示している。「神に従う人の収入は生活を支えるため、神に逆らう者の稼ぎは罪のため　箴言一〇／一六」、「そのような知恵は、上から出たものではなく、地上のもの、この世のもの、悪魔から出たものです　ヤコブの手紙三／一五」、「悪者のことに心を燃やすな、彼らと共にいることを望むな　箴言二四／一」このように一二〇〇万件の投稿が解読、分析され、二三万件の「聖なる」返信を作り上げたのだ。

グーグルが人工知能マンを独占するならば、グーグルの全てのコンテンツに道徳的秩序が与えられるかも、と私は夢想してしまう。しかし悲しいことに、それは儚い願いでしかない。

これらデジタル世界の悪漢ども全員を前にして、ネットフリックスは別の道を巧みに選んだ。単にテレビシリーズやストリーミング映画のコンテンツを提供していたこの会社は、ユーザーの視聴行動を常時モニターすることで、コンテンツ制作会社に生まれ変わった。一〇年足らずで世界中に一億二〇〇〇万人の加入者を持ち、その企業規模は一〇〇〇億ドルである。

まさに、ネットとともに来たれり、なのである。

私たちの日常生活での、こういった大いなる進歩発達は、始まったばかりだ。アメリカの二人の研究者エリク・ブリンジョルフソン（一九六二〜）とアンドリュー・マカフィー（一九六七〜）は、経営者の経験と直感に頼る代わりに、分析ロボットを社長にして、企業の意思決定は、将来的にはデジタル方式になるだろうと予測する。しかしクリエーターが、その意思決定に疑問を差し挟むことは許して欲しいのだ。ビッグデータは、戦略的な意思決定をすることで、無限の超越的な情報の領域を切り開く。しかし創造性は断ち切られてしまう。マシーンにとって断絶とは、故障に他ならないのだから。

どこが間違いなのか、探してくれないだろうか。

ブロックチェーン技術

二〇一八年最大の技術的革新は、ブロックチェーン技術[訳注1]である。この分散型情報伝送技術は、いかなるかたちの支配・統制にも制約されないというキリストの聖杯のようだ。ブロックチェーンは、あらゆるデータの変更に、他者が介入して合鍵を作ることができない。つまり、私とは、私が私であると主張するまさにその私であり、その私が操作する権利を持っているのだ。少し前だと、商取引や銀行の会計帳簿上にしか存在しなかったが、ブロックチェーンは、それらを数千もの形態で提供し、それぞれが暗号化され、読み出し専用である。それはデジタル世界の強固な情報保管庫、例えるならばアメリカ合衆国の連邦金塊貯蔵所である「フォート・ノックス」のような場所である。ブロックチェーンは、データの変更処理に関する隅から隅まで、全てを安全に保ちながら、あらゆる介在者（と同時にそのリスク）を少しずつ排除していく。一〇〇％確実な信頼性で、不正、偽造、汚職が減少するのだ。

食品の安全性、ダイヤモンドの保管、権利を承継した人物のみに与えられる報酬、ネットサイト上で本物の広告を見ている本物の人間である（つまりロボットではない）保証まで、ブロックチェーン技術はあらゆる分野に開かれている。

ブロックチェーン技術の特徴は、ある広告によって立証されている。とあるニューヨークのクリエイターが、クライアントであるTDアメリトレード（アメリカのオンライン証券会社）のために、大変見事にアジテーター的な役割を果たしたからである。それはネット上の公開帳簿の中に、代替不可能で不可侵、かつ不死身である、史上初の広告を挿入することに成功したのである。すなわち、ビットコインのブロックチェーンのど真ん中に、誰も決して消去《ディレート》できない自社のロゴを登場させたのだ。テクノロジーを皮肉る、なんという巧みなクリエイティブだろうか。それは、二三ドル二五セント、すなわち〇・〇〇二四七七六六ビットコイン分の投資で、五二〇〇万回の広告を表示した栄誉に輝いた。

それとは反対に、パリ高等師範学校の研究員、ジャン・ポンスは、この人工知能の社交サークルを糾弾している。グーグルを讃えるために開かれたパリ・サミットの主催者、即ちグーグルの面前で、彼は「現在の人工知能マシーンが、以前よりも人間に近づいたという進歩を示す、いかなる兆候も見えない」と明言した。大半の人工知能の研究者たちは同じように考えている。映画「ターミネーター」に登場する未来人類の敵・スカイネット訳注2との闘いは今日、明日に迫ったことではない。しかしもう今から私たちはそれと戦う運命にある。デンマークは、GAFAの度を越した活動を警戒し始めた最初の国家だ。この国は、不測の事態に備えるためデジタル官邸を設けて、世界中の首相官邸を時代遅れの存在にしてしまった。客観的事実はごく単純だ。シリコンバレー自体が一つの国家であり、世界中の国の経済や政治に介入する。これには異論の余地がない。彼ら侵略者たちは、医学、遺伝子学、バイオテクノロジーに限らず、ホテル業、レジャー、音楽産業、運送業、金融業にも関わってくる。つまり、彼らは自らの通貨（ペイパルのことだ）に刻印を打って、しばしばすっからかんになってしまうことが多い国家の金庫よりも多くの財産を秘密裏に築き上げた。明日になれば、その事実を全ての国家に突き付けて、世界を支配できるようになるだろう。今のところ、シリコンバレーの巨人たちは「君たちよりもはるかに多くのお金を持っているのだが……」と取り澄ましているが。

フェイスブックは、一億ドルでデンマークのオーデンセに最新のクラウドセンターを設立したところだ。アップルはこれに対抗して、八億五〇〇〇万ドルを投資して世界で最も巨大なデータセンターを作った。人工知能のエゴは、人間のエゴの大きさをはるかにしのぐ。そして私たちに残っているのは、人間として品性である。

私としては、人類の幸福のため、常に変わらぬ希望を求める側を選ぶ。私は、自分のことをあまりにも無邪気だと分かっているが、それはどうでもいい。飛行機を発明したのは楽観主義者だ。しかし、悲観主義者は墜落を怖れて、パラシュートを発明した。そして私は楽観主義者として、飛行機に乗る。しかし自らに問いただすと不安に陥ってしまう。それは私のためではなく、私よりもっと長く生きる人々のためである。あなたたちはさらに歴史のページを読み進めていくだろう。不安に陥るのは私だけではない。人々の四割が私と同じように、このような懸念を共有している。人工知能も、人間知能も、この二つを組み合わせたほうが、はるかに優れているだろう。神経やニューロンの戦いは必要ない。フランスでは、この活動に参加しようが、しまいが、いままでの習慣に従って、次の人々に未来を残す。フランスの若き数学の天才セドリック・ヴィラーニは、これに先手を打った。私たちには、とりわけ数学、情報工学、アルゴリズムに関する最高学府や偉大な研究機関（ＩＮＲＡ・フランス国立農学研究所、ＣＮＲＳ・フランス国立科学研究センター、ＣＥＡ・フランス原子力・代替エネルギー庁）や関連する大企業がある。

こういう力に、私たちのスタートアップ企業の活力を結びつけるのだ。手段が足りなければ、それを見つけ出し、相乗効果が足りなければ、それを作り出し、慎重すぎたら大胆に行なう。リスクは他からやってくる。外国のデジタル業界の魔女たちによって、こういう力を金で買い占められないようにしよう。そもそも、それは魔界の魔女たちなのだから。フランス大統領エマニュエル・マクロンは、二〇二二年をめどに一〇億ユーロのフランス・デジタル業界の活性化に向けた計画を立ち上げた。これは中国の一五分の一、パリ・オリンピックの総予算の五分の一だ。オリンピックの行進は、デジタル業界のオリンピック的な国際的企業競争よりも価値がまさるというのか？　何千もの雇用が失われて、人々が切り捨てられ、これに伴う被害は計り知れないというのに。テクノロジーの大企業は、新しい雇用を、失われた雇用と同じくらい創出できると抗弁して、ご立派な異議を申し立てる。それは本質的に間違っている。というのも、どうやって私たちと交代するロボットを使いこなすのか。ロボットを使うには専門的な知識や技術が必要なのに、働き口を失った人々にはそういった専門能力がない。バイドウ《百度》の経営幹部は、中国において数千ものポストが提供されるはずだ、と声高に語っている。悲しいことに彼らには理解不能だろうが、ここに採用されないのは、他ならぬデジタル業界から疎外された人々であり、採用されるのはこの分野のできる人なのである。

前回二〇一八年一月のダボス会議では、個々の問題別に細分化されたが、その解答を見つけ出すには至らなかった。まあそれは、ダボス会議のいつものパターンだけれども……。

Ｗｅｂ４・０の革命、つまり地球上にネットが出現してから四度目の革命には、現時点で人類が体験するであろう最悪のリスクが待ち受けている。

セールスフォースというソフトウェア会社の社長マーク・ベニオフ（一九六四〜）は他の企業のはるか上を行っている。この会社は、月曜朝のニューヨーク商品取引所に加わる新参者で、プラットフォームとして人工知能エンジンを持っている。

皆さん、驚くなかれ。彼は、その人工知能エンジンを「アインシュタイン」と名付けたのだ。

本物のアインシュタイン博士は、墓の中からぺろりと舌を出さねばならないだろう。

トランスヒューマニズム《超人間主義》？

歴史に残る、残念な一日となってしまった二〇一八年一月二二日、アマゾンは、シアトルで世界初のレジ無し販売スペースをオープンした。流通業界全体がこれに習って、世界中の何百万人ものレジ係の職業上の死亡届にサインをしていくことになる。誰が彼らに次の仕事を見つけてやれるのか？ この不適切な「雇用上の再教育」という言葉は、これからの政治的な脅威となるだろう。誰もが混乱に直面している。私たちは一〇年ごとに仕事を変えて、生涯にわたって学び続けなければならない。そうならないためには、レジ係よりも人工知能の影響を受けない配管工になるのがいいだろう。差し当たり、次世代の先駆者でフランスの若き社会起業家ポール・ドゥアン（一九九二〜）はNGOバイイー・インパクト《NGO Bayes Impact》を創立し、アルゴリズムを使って、それまでの仕事のキャリアから新たな価値を発見するボブ・エンプロイ《Bob Emploi》というサイトを作った。このサイトはすでに一六万人が試しており、そのうちの四万人が新しい仕事を見つけている。デジタル技術の引き起こした狂騒曲の中で、これは永続性を持った、安定したものなのだろうか？

西暦二〇三〇年という未来には、私は存在していないだろう。もし神のインテリジェンスが存在するなら、私はそれが未来の人工知能よりも破壊性が少ないだろうという希望を抱いている。紳士淑女の皆さまには幸運を祈りたい。この終わりなき競争を、皆さま方が道徳的に、社会生活的に、人間的に整理をつけなかったからだからだ。

しかし、そもそもゴールの存在しない競争にどんな価値があるのか？　トランスヒューマニズム《超人間主義》[訳注3]は、六〇年代から七〇年代の、アメリカ、カリフォルニアで生まれた。そもそも、ヒッピーコミュニティや情報工学の揺籃期とクロスしたニュー・エイジ・ムーブメント以外の領域では、トランスヒューマニズム《超人間主義》は生まれなかっただろう。齢を重ねていったL・Aの自由主義者たちは、より過激な自由を標榜し、資本主義を絶えず攻撃しながら、新たな優生学を生み出していった。それは世界初の試験管ベイビーを生み出したジャック・テスタール（一九三九〜）の論理である。

カリフォルニアのマリブに現れたニヒリズム《虚無主義》は、私たちに夢を見せてくれた。私も夢を見た一人だった。私は、世界中を飛び回る生活の中でニヒリズムに出会った。特定の世代にとって、ニヒリズムとは技術を誇示することではなく、オルタナティブ、もう一つのイデオロギーとしてコミュニケーション的な、また共同体的な信仰へと変っていくものだった。私たちは、消滅した信仰の無人地帯のただ中で、その代替としての宗教を語ることさえできるだろう。

毎年、私たちは九カ月分しか老化しないし、年毎に私たちの人生は長くなっていく。二一世紀は死を無くすことを夢想しているが、それは老人として生き続けねばならないことを忘れている。ナノテクノロジー、バイオテクノロジー、情報工学、認識科学のカクテルは爆発物と化してしまう怖れがある。健康に関するウェブサイト・ドクティッシモ《Doctissimo》の共同創設者でフランスのトランスヒューマニスト《超人間主義者》、ローラン・アレクサンドル（一九六〇～）は「千年の寿命を持つであろう人間がすでに生まれている」と明言する。おお、それはどんな状態で生まれてくるのだろうか？

ロシアの大富豪ディミトリ・イツコフ（一九八二～）は、彼の脳をコンピュータに移植できる人に、彼の全財産を捧げるという。しかし、そんな馬鹿げたことまでして、彼は脳を守っていたいのか？

より現実的になると、グーグルの共同経営者ラリー・ページは、彼の会社、カリフォルニア《CALI》・ライフ・カンパニー《CO》と共に、一〇〇歳の長寿命に向けて、自分を強化しているという。

そういう話ならば、乗りたいものだ。

唯一確かなのは、人類の改良はすでに始まっているということだ。一五年前からダウン症の胎児の九七％が中絶され、優生学の論理が実行されている。受精の時点から赤ん坊のDNAを選択できるようになっていく。グーグルの研究者で、人工知能研究の世界的権威であるレイ・カーツワイル（一九四八～）は、二〇四五年には生物的知能の地位は人工知能に奪われるだろうと予言する。

そんな宿命的な時代になれば、人類はマシーンと一緒になって共同意識を作らねばならないだろう。唯一の問題は、現在の技術的進歩が人間の思考よりもはるかに速いこと、誰ひとりとして偶然の可能性を予測する者がいないことだ。だから私たちの未来を知る者が、誰一人としていないのだ。相変わらず登場するのはイーロン・マスクだが、このスペースX社の男は、人工知能と生物的知能を結びつけるミッションを持つ新会社、ニューラリンクを立ち上げた。ここの最初の研究レポートは、スポンサーである彼自身をもぞっとさせるものだった。というのも彼は人工知能を疑い始めているからだ。近いうちに死んでいく私は、このやっつけ仕事のレポートを天国から見物できて嬉しい。すなわち、半分が人間、半分がテクノロジーのセンサーによって補強され、好きなだけダウンロードできて、グーグルクラウドに直結され、絶えず操作される、ロボットのようなデジタル人間ができあがるのだ。その頃には、もう私はこの世にいないから、そうならなくて幸せだ。フランスの哲学者で最も現代的なラファエル・エントーヴェン（一九七五～）もまた、永遠の命に囚われて、足元をすくわれることはないと言う。彼は、年老いてから死のうとする人々を笑い飛ばす。「たくさん年をとって死ぬのが、より良い死に方なのか。死ぬには遅すぎて死ぬのが、悪い死に方なのか。そんなことではない。人は死ぬべき存在だから、死ぬ。人生体験の多い少ないではなく、長いとか短いとかでもない。人生を非凡なものにするか、それとも不毛なものにするかは、私たち次第なのだ」

私はこれに賛成する。

テクノロジー狂躁曲

この世界は、いつの時代も権力への飽くなき渇望によって保たれている。権力の究極の目的は常に不変だ。その目的は手段を正当化する。強欲は規則を知らず、法を忘れ、他者を押しつぶす。この支配競争は、現実を否定できるくらいの大富豪となる競争だ。未来と一体化した現実の隠蔽が、シリコンバレーの巨人たちを、テクノロジーなら何でも可能だという信条によって、過剰なまでに活性化されたトランスヒューマニズム《超人間主義》的な錯乱へと引きずり込む。アンチ・デジタルで、チェ・ゲバラ的な哲学者にして作家のエリック・サディンは、私たちを待ち受ける試練を要約して語る。「考えるべきは、他の文明モデルに対抗するもう一つの文明のモデルである。私たちは選ばねばならない。あらゆる力の衝動で破壊されつくした人間の存在は、対抗する勢力に反抗することではなく、自らの生活を作る意志なのだ」と語る。人間と創造性の市民たちよ、戦いの武器を取れ。

ところで、冒険心があなたを駆り立てて、それを可能にできるなら、今やもうあなたは永遠に生きるチケットを手にできる。そのチケットを予約するには、人体を冷凍保存する「クライオニクス《Cryonics》」という天国の会社に連絡を取って欲しい。その会社は二〇万ユーロで、あなたが死んだらすぐ、未来の時代に生き返るように、死んだ後の時間を液体窒素タンクの中で過ごすことを提案してくれる。このアメリカ製のコンセプトは、アルコー・ライフ・エクステンション財団によって一九七二年に誕生したもので、一〇〇〇体もの人間が頭を下にしてうやうやしく保存されている。なぜ逆立ちなのだろう？ 進歩は止まらないだろうし、愚かな盲信もなくならない。生に逆行するトランスヒューマニスト《超人間主義者》の新しい挑戦がこのような姿を現している。彼らは、鉛を金に変えるためでなく、死を生に変えるために二一世紀の賢者の石を探すのだ。私たちの存在に時間的制限をなくすこと、つまり病気や老化から解放して、私たちの存在を根本的に長く保つのは、気違いじみた夢だ。しかし、「不死」という言葉をもはや口にしないで欲しい。というのもトランスヒューマニスト《超人間主義者》たちは、ハリウッドのやりすぎＳＦ映画のような「不死」という言葉を避けて、人生の時間を延長する探求の物語を好んでいるのだから。

　自分自身が信頼できる存在であるということに、彼らは疑問を持っていないのだろうか？ 基本的な原則は、テクノロジーに煽られた狂躁状態の熱狂が、「死後、自然界で分解されていく」人間の存在を認めようとしないことだ。その理由には、事欠かない。マシーンの持つ超知能、ネガティブな全ての感情を消滅させる抗うつ剤、永続的に感情移入して作り出される包括的セラピー（これで嫉妬心さえも克服できるだろう）、宇宙空間の植民地化、思いのままに分子を組み合わせられる分子ナノテクノロジー……。唯一の問題は、テクノロジーに後押しされた狂躁状態は、あらゆる思索生活を消滅させてしまう、ということだ。それがテロリストの手中に落ちれば、何にでも適応可能な分子の組み合わせマシーンが、私たちの地球を奪い去って、彼らに引き渡すことになるだろう。
そういう未来を信じたくない、私はそれを拒絶する……しかし……！」

バーチャルリアリティ《仮想現実》の中に人間の意識をダウンロードするのは、この現実世界をデジタル的世界へと脱皮させることだ。私たちはリアル《現実》を抹殺し、永遠に自分をコピーし続け、永遠の存在を創り出すだろう。このシステムのわずかな欠陥、それは、今の極低温保存技術では生命を蘇生できないことを、科学者たちは一致して認めている。ナノテクノロジーの進歩だけが、いつの日か、それを可能にするのだろう。果たして私たちの子孫の子孫は、この高価な蘇生法に関心を持つ必要があるのか？　人生を通じて我慢を続けながら、人生をさらに数年間程度延ばす価値があるのだろうか？

　全てが、この常軌を逸した夢の中に投げ込まれるべきではない。仮にこの常軌を逸した夢が、哲学的であること、現実的でないことを望むならば……。かつてフランソワ・ミッテランは私に、ソルボンヌの学生たちとダライ・ラマ一四世との交流を企画するように頼んだ。それによって、私は最も素晴らしい贈りものを得たのである。

　今もなお、私はその時の様子を興味深く思い出せる。ダライ・ラマは「法話」を始めた。そしてチベットのおとぎ話を通して八時間も語り続けたのである。

この老師は、若い僧侶に初めての哲学講義を行なう。

――あなたに三つ、質問を出しますから、それによく考えて答えてください。最初の質問です。白の反対は何ですか？

――黒です、と若い弟子はすぐに答える。

――それは違います、と老僧はきっぱりと言う。それは良い答えですが、あなたはよく考えませんでしたね。二つ目の質問です。昼間の反対は何ですか？

新参の若者はじっと考えてから、こう答える。

――それは夜です。

――よろしい、わが弟子よ。さて、最後の問いです。生命の反対は何でしょう？　と老僧は問いかける。

若い僧は考えに考えて、そしてつぶやくのだ。

――それは死です。

――それは違います。全く違う……、と師は結論を下す。生命の反対とは、誕生なのです。

より現実的なトランスヒューマニスト《超人間主義者》たちは、スポーツに励み、食事制限をしながら、ユーモアと人格を作る予防医療と薬物投与を実践している。いわば幸福に向けた合法的麻薬《リーガル・ドラッグ》を注射しながら、現在の生を改善しようとする。彼らは、より豊かな、より責任のある、より楽観的な生活を求め続ける。要するに金融に例えれば、市場に流通する通貨を増やす「量的緩和政策」だ。彼らは、デジタル的全体主義に直面した未来のヒューマニズムを真っ先に信じる者たちである。

トランスヒューマニズム《超人間主義》の幻想

トランスヒューマニズム《超人間主義》とは、新たな道を切り開くという思想だ。その思想は、世界を二つの陣営に分割する。バイオ的保守主義者は、自分が地球の救世主でありたいと願うし、テクノロジー的進歩主義者は、神から火を盗んで人類に与えたプロメテウスとなることを望む。フランス大革命時代に生きて、社会科学に数学の方法を応用しようとしたコンドルセ侯爵や、百科全書の編集・執筆に参加した啓蒙思想家の系譜上にあって、彼らは新人類を創造する新たなルネサンスを推し進めようとしている。社会共同体にいる、こういう思想の信奉者たちは、特定の宗派とみなされるのは拒むけれども、たとえそれが非現実的で空想的な哲学であっても、新哲学や新思想だと思われたいと夢見ている。彼らは、財源と資産と、この研究活動の相互扶助を提案し、より速い速度で前進しようとする。

この幻想の上に、地球規模の政治的路線が作り上げられ、ホワイトハウスの候補者まで登場することになる。それが北アメリカ《ヤンキー》のメディアにもてはやされるジャーナリストでアントレプレナーでもあるゾルタン・イシュトヴァン（一九七三〜）である。彼は、政治、経済、産業に関する意思決定者を集め、ヒューマノイドロボット、統合的バイオロジー、人工脳髄の製作、老化医学などに投資しようとしている。時流に乗って、アンチ・エイジングとも言っておこうか。こうして生み出される遺伝子組み換え人間が、悪評だらけの遺伝子組み換え作物よりも、ずっとましなことを望みたい。そんな時代に私が手がけたいと夢見る大統領選挙のキャンペーンは次のようなものだ。「投票か、死か」という標語と、「永遠の命」というスローガンである。それは創造的ではないが効果的で、二〇〇〇年も前から上手くいっている方法である。でもお静かに……。もし全能の神が、これを耳にされたならば、ご立腹されるだろう。こういう概念は、神の領域に属しているのだから。

今や亡くなられて夜空の星となったスティーブン・ホーキング博士、そしてイーロン・マスクやビル・ゲイツ、ノーム・チョムスキー（一九二八〜）といった連中が調印した「ヒューチャー・ライフ・インスティテュート」からの警告：「人工知能の発達は、人間という種の終わりを示すかもしれない」が、人間の振り子を正しい時間に戻すのだ。エマニュエル・マクロン大統領は、かつてどんな大統領でも不可侵の存在だった全フランスの司教たちに向けた演説の中でこう語った。「生きとし生けるものに対する人為的な操作や製造法は、人間と生命に関する概念を論議することなしには、際限なく展開していくことはできない」と。

この問題について、門外漢だと思われていた作家のフレデリック・ベグベデ（一九六五〜）は、彼の最新の著書『世界不死計画』（邦訳・河出書房新社）の中でその問題に触れている。彼は身体も精神も聖人で、この本の中に登場するトマス・ジュリアン神父の言葉を引用する。「トランスヒューマニスト《超人間主義者》たちは、人間が神になることを望む。しかしキリスト教徒にとっては、これとは反対に、人間を創造した神というものがすでにおられるというのに」。私としては、トランスヒューマニスト《超人間主義者》として生きるより、人間として生きる方が良いと考える。神の化身として生きるのは、荷が重すぎる。唯一確かに思うのは、新しい世界は科学と哲学との間で進化するだろうということだ。数学者のノーバート・ウィーナー（一八九四〜一九六四）は、七歳で神童と呼ばれ、一一歳で大学生となり、一八歳でハーバードの理学博士となり、なんと一四カ国もの言葉を操ったが、数学上の言語世界でしか、くつろげないと語っていた。ＭＩＴの教授で研究者であった彼は、第二次世界大戦中に、敵の行動を予測可能にする装置、つまりＡＡ予言装置のプロジェクトに参加しており、一九四八年にサイバネティックス（人工頭脳学）、つまり人間と機械との関係を分析し、制御する理論体系を作り上げたのである。サイバネティックスの語源だが、古代ギリシアの哲学者、プラトン（ＢＣ四二七〜三四七）が、当時「船の舵を取る者＝操舵手」を「キベルネテス」と呼んだところから、ウィーナーが造語したといわれる。

　ギリシア人は、文字の前に、全てを発明していたのだろうか？　その後継者は、自分の直感をこのように公式化する。「知識はコミュニケーションに結びつき、人類の進化を制御するのは、道徳と宗教に結びつく。私たちは、人間と機械とを同じように扱わないようにするタブーから解放されるべきだ」と。

神は自分の姿に似せて人間を創造した。そこから人間は、自分のような姿を持つ別の存在、つまりデジタル人間＝ホモ・デジタリウスを創造する。その模造品に注意しよう。「私たちの創造主は、その創造物と敵対することを認めるか？　そして相手に敗北することがあるだろうか？」

それは物質と精神の必然的な結び付きを忘れ去ることである。量子物理学者のウォルフガング・パウリ（一九〇〇～一九五八）と精神分析医のカール・ユング（一八七五～一九六一）は共に二五年間働き、「人間は思考を排除することができない」という結論を得たのである。

これに私は同意するのである。

しかし私は、重要な点、すなわち現時点に視点を戻さず、未来を簡単に記すだけでこの本を終わらせたくない。将来における約束を待つ間に、最も望ましいのは、人々の日々の暮らしが良くなることだ。私は世界を救おうなどとは微塵も考えないが、広告という仕事は時々それを試みる。それは、ほとんどの場合、単純だが誇張を伴った夢のような方法で、日々のささやかな幸せの商人として、である。しかし、豊かになる機会と、それを分かち合うべき必要性とを、広告が意識させる場合、広告表現はとりわけ美しい。

私にとって、ここ一〇年間での典型的なキャンペーンは、平和基金についてのものだ。それはオーストラリア、シドニーのわがアヴァス系代理店が作ったものである。その強烈なアイデアはシンプルだ。地球上で最も金持ちの一〇〇人のリストの前で、この一年間にメディアや私たちが夢中になったことに嘲笑を浴びせかける。そして反対に、地球上で最も貧しい一〇〇人のリストを作るという挑発的な行為を行なう。このリストは、悲しみに満ちた世界各地の二年間のルポルタージュを総動員したもので、一〇〇種類のありとあらゆる貧困の原因（戦争、失業、障害、病気など）をえぐり出す。そして彼らに感情と声を与えるのだ。オーストラリアの日常から、かくもかけ離れたこの広告コンセプトによって、心を動かされたメディアは、合計一〇〇本ものインタビューを一本一本無料で放送することになる。そして日用品や食料品などの寄付が殺到したのだ。しかし、もっと素晴らしいことは、隠しようないこのような貧困の姿が、私たちの世界に分かち合いの責任を思い出させることであろう。

それだからこそ、ネット世界の金権政治家の方々は、大先輩のビル・ゲイツにならって、人道精神、博愛精神にあふれた金権政治家をめざす、というのはどうだろうか？

デジタル・ジェネレーション

デジタル的世代分析

一九世紀においては、商業的な大変動がイギリスの富を築いた。イギリスの船団が世界を発見したのだ。そして二〇世紀には、ヨーロッパ、続いてアメリカ、さらに日本が時代の恩恵に恵まれ、これらの国々は自動車や飛行機を作り、世界五大陸の市場制覇に乗り出した。それは工業的な大変動であった。私たちの世紀は、時代に即した三度目の大変動、すなわちデジタル革命を生み出し、新たな世界に出発するのだ。

親愛なる読者の皆様は、自分の将来をどう考えているだろうか？

あなたの将来は、希望に輝く紺碧の海の色だろうか、それとも疑心暗鬼の黒インクの色だろうか？　この変わりゆく世界の波をどうサーフィンしていくのか？

新しい世界である。でも、その世界は誰と何をする世界なのか？　めまいに襲われながら、あなたは自らに問いかける。加速すべきか、減速すべきか、サーフボードの上で、どうやってバランスを崩さないようにするか？　この混沌とした社会生活の状況に直面して、二〇一七年にフランス世論調査会社はフランス国立情報学自動制御研究所《INRIA》（Institut National de Recherche en Informatique et en Automatique）のため、フランス人についての徹底的な調査を行なった。そしてフランス人を五つの異なるグループに分類した。

さて、あなたはどこにいるだろうか?
ネット世界の大いなる探検家たち(一八%)は、新人種の最初の標本である。ネット世界を理解し、探求し続ける最先端の彼らは、生活全体をデジタル化している。最初にデジタルコード化された彼らは、そのリスクと、素晴らしく平等で、正しいと彼らが望む新しい人間の問題を理解している最初の人たちだ。果たして地球上に暮らす私たちの生活は、転換を迎えているのか?

これら開拓者に続くのは、現実に適応した数多くの登山家たちだ(一六%)。彼らは若く、モバイル機器を手や耳から決して離さず、好奇心にあふれ、オープンだが、まだ特定のグループには組み込まれていない。彼らは、組織され安心を得られた旧世界を知っている。また、魅力的だが同時にリスクもある新世界へ飛び込む用意もしている。そう、進歩を享受できるが、同じだけの責任も伴うことを知っている。

第三の集団(二〇%)は見習いの旅行者だ。年齢は四〇歳代で、彼らもまた進歩と連帯を夢見ている。しかし、このネットワーク上のスキーヤーは踏み慣らされたゲレンデの外に出ることを拒み、月並みなデジタル世界のスキーリフトに乗るだけで、制限標識内の斜面に群をなしている。巧みにリードを取ったり、リスクを冒すことはない。

それに続くのはハイカー(一六%)である。彼らの年齢は四〇歳代か五〇歳代で、斜度が急すぎたり、誰も足を踏み入れていない新雪の斜面で、直滑降に挑まない人たちである。不安を感じたり、時として実力が伴わない彼らは、自分の子供や地球の将来を気にかけつつ、道徳や倫理観に頼る。このように互いにザイルで結ばれたアルピニストである彼らは、ハーケンを次々と打ち込んで安全を確保しながら山に登る。

そしてデジタルに反抗する叛徒たち（一〇％）がまだ残っている。彼らが拒絶する新テクノロジーの領域を目の前にしながら、彼らは辛辣で、懐古趣味に浸り、恐怖におののいている。彼らは、混雑しない斜面とホットワインのような快適さと安全を保証してくれた古き良き世界を夢見ている。彼らは「昔はもっと良かった」が口癖の、上品でお洒落なスキーヤーだ。

最後に残った二〇％のフランス人は、デジタルシステムの埒外で生活しており、デジタルが必要で不可欠なことに全く期待せず、過剰に供給される情報や将来の希望に苛立っている。

知らぬ間に、彼らは後戻りできないデジタルの時代に、すでに足を踏み入れたということを忘れている。医療用画像、ＧＰＳ、モバイル、パソコン、ネット、ＴＮＴエクスプレス、デジタルメディア、家庭用ロボットは、現在ではもはや生活の一部である。デジタル化する際の失敗とは、一般的な知識の習得に必要な教育時間を確保しないまま、その天才的なツールを世界規模で装備していることだ。この調査の結論は真っ二つに分かれ、六〇％のフランス人はこの新時代に自信を持ち、四〇％は不安を抱えていることが明らかになった。フランス人の四〇％が夢中で、五〇％は力不足を感じ、五〇％は歓迎するが、四〇％は苛立ち、さらに疎外されている人も存在する。

読者の皆様は、どこに自分の姿を見つけただろうか？

大部分の人々は、この突然変異した世界のポジティブな面を共有している。それは、開かれた世界、人々の連帯、知識へのアクセス、ダイレクトな情報、起業する能力、情熱を満たす可能性など、だ。しかし同じように大多数の人々が、私生活や個人の自由が尊重されるかどうかを心配する。三分の一の人々は、家族関係や恋人関係についてハッキングされることを嘆く。

簡単に言うと、一般的な意見は警戒したままであるということだ。フランス人の二人に一人は、デジタル技術が良いとも悪いとも考えていて、時流に乗っているとか、進化が恐ろしいとかを、敢えて口に出して言えないのである。

最後に、悲しい事実は、現状に満足しているのは四五％で、さらなる進化を望むのはわずか三〇％に過ぎないことだ。ベストセラーを次々と出す「広告マン」的作家、フレデリック・ベグベデは彼なりの言葉でそれを表現する。「もし冷蔵庫が私たちの代わりに、買うものを注文するのは、本当に進歩なのか？　それでは自由がないし、前には戻れないだろう」。

未来は前途洋々たるものではないのだろうか？

ホモ・デジタリウス

個人でも集団でも、この一〇年間、世界の発展はデジタルの進歩によるものであったと考えねばならない。しかしフランス人はいつも、冒険家というよりは慎重派、今風というよりは保守的、共有を好むより自己中心的なので、この急加速する新技術が、私たちを地球規模の自殺へと導くのを恐れている。一七八九年のフランス大革命、一九六八年の五月革命の子孫たちは、まだ2・0、3・0、4・0のデジタル革命の子孫ではない。情報や教育上の必要性は明白だ。これが世界の終わりか、新たな人生の始まりなのか、を哲学的、経済的、社会的に理解して共有するのは、国家レベル、世界レベルの協力計画として何よりも素晴らしいことだ。

スパイダーマンは、最新の大ヒットした映画の中で「大きな力には大きな責任が伴う」とはっきりと語っている。私が要約するとすれば、このようになるだろう。それは許される範囲での開放であり、適切に行なう監視であり、同時に慎重さが求められ、相反する楽観主義と悲観主義との折り合いをつけねばならない。

結論として、このようなデジタル的変化に適応するため、個々の人々にとって教育のための期間を確保する必要がある。それゆえ七五%のフランス人は、小学校からのデジタル教育導入に賛成している。その証拠に、デジタルに対する彼らの消極的な姿勢は、その批判というよりも、遺伝的な要素からだ。というわけで、ホモ・サピエンスの継承者、ホモ・デジタリウスが形作られる。

テクノロジーに「ハラスメントされた」ホモ・デジタリウスは、自分の顔を撮り過ぎて、自分の本当の顔が分からないほど、セルフポートレートを愛する自撮りフェチで、周囲に自分の生活を餌のようにばらまくリアリティ番組の出演者で、その評価に自己陶酔して正気を失う「いいね！好き好き」君でもある。

一方で、フランスの若者の三人に一人が携帯電話を使い過ぎだと思っている。この点では、外国と比べてフランスの若者はまだ確かな意識を持っている。しかし、彼らの親は、個人情報データの悪用については放任したままだ。この惑星のあちこちで反逆が勃発する寸前である。不満に思う人々の割合は、ポーランドで七〇％、中国で六五％、アメリカで六〇％だが、フランスでは五〇％にすぎない。ソーシャルネットワーク企業の信頼性は低下し、フィンランド人の七〇％、フランス人の六〇％、オーストラリア人の五〇％、イスラエル人の四五％が、ソーシャルネットワーク上で発表されたコンテンツから距離を置いている。メディア上の広告が、かくも問題になったのは今までなかった状況だ。

電子商取引《eコマース》には、それぞれの大陸ごとに異なる期待がかけられているが、疑惑の目を逃れているわけではない。南アフリカはさらに安価な接続料金を望み、ポーランドは時間的節約を、ニュージーランドは送料無料化、中国はより良い品質の製品を求めている。しかし最も明らかな違いは、携帯による支払いについてである。意外なことに、中国とモンゴルの六五％が賛成。ブルガリア、ギリシア、ハンガリー、フィンランドの七〇％が反対。ドイツとアメリカ、フランスにいたっては五〇％だ。裕福になればなるほど、猜疑心が強くなるのだ。所有感の裏側、というべきだろうか。

広告関係者たちは、新たな領域が開拓可能に思えて、この誘惑にたちまち引っかかってしまった。これで仲間外れになろうとは分かっていなかった。何年もコピー・アンド・ペースト作業を繰り返して息切れしたクリエイティブは、生まれ変われるかもしれない意外な勢いを手にしたのだ。五年前であれば、実現できなかったキャンペーンが登場する。それは、データの否定しがたい恩恵で、私たちに思いがけない扉を開いてくれた。スポティファイ《Spotify》と協力したブラジルの広告代理店アバス・ライフ《Havas Life》は、音楽の力を借りてゆったり歩くことで、パーキンソン病の患者がうまく歩けるように補助する素晴らしいアイデアを思いついた。これは脳内快感物質のドーパミンを分泌する能力に基づいている。沈黙は、病因の一つである。彼らは歌うことで病魔と闘うのである。

こうして音楽と科学が一つになり、携帯を通じて、このような患者を直接治療できるようになる。医者は、データを使って、患者の歩くリズムを調整しつつ、歩行機能を刺激するプログラムを選択する。その結果は目覚ましいものだった。これを世界中に広めるために、理学療法士たちが招かれ、この療法を体験し、すでにいくつものケアセンターが賛同している。広告クリエーターたちは、この発明を「パーキン・サウンド」と名付けて、そのネーミングを祝福した。

才能と技術は、排除し合うものではない。

サイバー兵器師団

このように小さな奇跡は、医療、経済、生活のあらゆる分野で拡大している。しかし、地獄があるから、その反対の天国も存在する。私たちはこの地球に地獄を作っている最中だ。メディアは、地球の新たな脅威であるサイバー兵器の存在を知って、呆然となっている。

突如現れた新しい発明は、善悪両面を持っていて、相互にせめぎあっている。CIA（アメリカ中央情報局）が雇った五〇〇〇人のハッカーが、個々に遠隔操作が可能な一〇〇〇基のサイバー兵器を装備した師団を形作っている。結局のところ全世界は監視されていて、騒乱状態だと証明される。アメリカ合衆国は、CIAが可能なら、あらゆる犯罪組織もまた、それが実行可能だと知って呆然となる。

そうして闇市場《ブラックマーケット》がたちまち成立して、そこではＣＩＡに雇われたでき高払いのハッカーたちが、数千ドルから百万ドル単位の値段でサイバー兵器のコードを秘密裏に売っている。世界が、デジタルによる幸福追求にあまりにも期待をかけ過ぎれば、滅亡への道を突き進んでしまうだろう。世界を作るのは、私たちである。幸福を追い求める範囲であれば、デジタル的世界には心があり、誰にも負けない特技がある。もし私たちが注意を怠れば、あらゆる創造的精神を失って、二〇年か三〇年以内に、私たちは、情報データで酔いしれたマシーン群によって操られ、それぞれ何らかの特技を持った八〇億の人間というだけになっているだろう。未来は、私たちをマーケティング上のターゲットとしてしか扱わない個別化に向かうのではなく、私たちが私たちであるための閃きに向かうのであり、そのような個性化によって、私たちの創造力が豊かになるのだ。

あるドイツの広告代理店は、ホームレスの男が自分の人格を取り戻すことで、尊厳を持った人間に戻れると証明しようとした。広告代理店は、デジタル・イメージを扱う世界最大のフォト・エージェンシー、ゲッティ・イメージズが関わるデータベースを集めた。カタログで使われるそれぞれの写真（一日あたり数百万枚の写真）は、映像の使用権料を得ることができる。このデュッセルドルフのクリエーターは、ボランティアである「一〇人のホームレス」に、このゲームに参加するように提案した。心理学者、スタイリスト、ヘアメイクアーティスト、写真家のチームが、彼らをサポートする。そしてホームレスたちは肖像権料を得るため、自らのアイデンティティを視覚的に示すようなポーズをとった。

これを情報の不正操作だと糾弾する人もいるだろう。しかしそれは、写真の肖像権料で、このプロジェクトに参加した人々が、自分の未来の可能性をもう一度改めて信じられるようにする、個人差に合わせた変更だ。ホモ・デジタリウスの一番の力は、毎日のように新たな世界を自らのために創造し、そこに新しい希望を見出すことだ。一方、現在の旧世界は、その希望が枯れていくのを見るだけである。


私としては、メイド・イン・フランスのデジタル産業を夢想している。私たちのスタートアップ企業が活動を始めて、フランスは、この分野では世界第二位の地位にある。

私のコミュニケーションという仕事の師だった第二一代フランス共和国大統領、フランソワ・ミッテランのように、何か事を為そうとする際に、きちんとした時間がとれた時代は、はるか昔になってしまった。

デジタル世界最大の悪徳の一つは、同時に最大の美徳でもある。時間が加速されて、ツイートは二本の親指を使ったタップ速度でツィートに応える。熟慮する時間はどこかへ飛んでしまう。ソーシャルネットワークでの文章が、お祈りの文句のような紋切型だとしても、驚くにはあたらない。

すばやい機転や反応こそが鉄則で、誰よりも先に早く答えようとする競争相手によって、どんなにつまらないオチでも、すぐコピーされる。好奇心旺盛な電子時代は、唯一の考え方の手段として、瞬間性を最優先する。

私たちフランス人は、哲学者・思想家のブレーズ・パスカル（一六二三〜六二）と象徴派詩人シャルル・ボードレール（一八二一〜六七）の、俳優・ユーモリストのコリューシュと作詞家・作曲家、歌手にして映画監督のセルジュ・ゲンズブール（一九二八〜一九九一）の子孫たちであり、ザッカーバーグ、クック、ブリン、ペイジなんぞの下僕にはならない。

この地球規模のナチスによるオーストリア併合のような事態の中で、私たちの自由への道を見つけ出そう。その自由への道というのは、過去を忘れることなく未来へと向かう道、現実を忘れない希望への道、情緒や感情を忘れない創造への道、人間味を忘れないテクノロジーへの道である。

フランスの若者たちが……

この「王道」、それを切り開くのはフランスの若者たちだ。私たちのような古いガリア人のレジスタンスなど、もはやどうでもいい。復権を求める渇望は、今やかつてないほどだ。これほど新鮮な若い力が現れたことはかつてなかっただろう。若者たちは変化について語るのではなく、新しい文化、異なった生活、再発見した価値観について語り合っているのだ。
これまで政府が私たちに約束し続けてきた改革という名の茶番劇を前に、ついに結集したこの新しい市民社会が、民主主義的に政治的な権力を握ったのだ。新しい社会は私たちにハッピーエンドのシナリオを提示する。信じがたいだろうか？　そんなことはない、と私は思う。夢よりも後悔が多くなった時、老いが始まる。私が熱中するのは自分の夢だけだ。これからの世界を想像してみよう。そこでは道徳的な至上命令が社会規範となり、対話する機能が不可欠で、人間性が新しいダンスを踊るだろう。

私たちは対話する世界に進むのだ。つまり、お互いに話を聞き、話をして、意思を通じ合わせ、理解し合うことで、新しい生活を創り出すだろう。私たちは面を上げて、元気を取り戻す。何度も火傷は負ったけれども、ここ一〇年ではじめて、フランスの経済は持ち直している。

私たちは、それまでマイナスだった工場の建設件数を逆転、増加させたところだ。そして住宅建設、自動車の販売、エアバスの販売、観光ブーム、若返ったフランスの主要四〇銘柄株価指数（CAC40）が輝く健全な経済状況、赤字から抜け出した社会保障、といった思いがけない喜びが続く。私たちは再び成長を始めるのだ。

雇用の創出は青信号を示し、失業は減少し始めている（前の大統領・フランソワ・オランドにとって遅すぎた構想である）。確かに私たちは、弱体化したとはいえトップを走るドイツと、Brexitにもかかわらず第二位にとどまるイギリスといったヨーロッパの優良国家からはほど遠いままだ。もっともイギリスは衰退が続くようにも見えるが……。私たちフランスには好循環が近づいている。国内総生産は予想外にも二％近く増えるだろう。排斥主義の団結や先祖帰りの思想、労働組合主義を一掃する改革の風がかくも強く吹いたことは、かつてなかった。

しかし勝利宣言には早すぎる。私たちフランスの変化はまだ進行中なのだから。それでもフランスは国境を越えて再び輝く。マクロン大統領に感謝したい。私たちフランス人は、自らを、改めて信頼し始めた。かつて政治家、外交官であったタレーラン（一七五四～一八三八）が言ったように、「人は、自分自身を信じる人だけを、信じるものである」から。

このように不安やコンプレックスが軽減された。そして私たちには情緒や感情、それにともなう創造力を解放する準備が整った。

もし革命を起こす必要があるなら、フランスの若者たちが起こすだろう。それは、彼らの遺伝子の中にある。過去のデジタル世界の大君たちは、もっぱら天賦の才能によって自らの存在を示し、その後継者たちは、通常よりお買い得な企業買収と株式投資の公開を好んだ。マネーとマーケティングが主導したのである。完全にフリーズドライされ、しっかりと真綿にくるまれ、すっかり形式化した創造力が、それに従った。

資金がなければ、波動は起こらない。

そして突然、世界が急変する。


これからのリーダーたる若きデジタル・エリートたちは、程度の差こそあれ、不正蓄財を夢見るのではなく、自発性を、想像力を、発明を、つまり創造を夢見ている。フランスの若者たちは、資本主義に対しては経営への参加で、伝統に対しては現在のでき事で、理性に対しては感情によって、それぞれ相対しようとする。

ミレニアム世代には、この大いなる疾走を企てる才能がある。彼らは、独立しつつ共生する、過激で輝かしい、大胆で霊感に満ちた生き方の新しい時代を作るに違いない。それも風通しの良いところ、新鮮で美味しい空気のあるところで。このデジタル世代は、本能に従い、思慮深く、情熱的で、また勤勉で、情緒に満ちて、合理的だ。理性と想像力、慎みと過剰、可能と不可能のバランスを見事に取っている。

彼らの未来は、私たちの好機だ。この好機とは、デジタル世界の予言を独占することで、世界を牛耳ろうとする企てをあきらめさせ、同じ志を持つ血族同士の結婚で、私たちの理想を世界に繋ぐのだ。

私たちの理念を反映したデジタル世界の未来を作ろう。それは、不正や悪徳のない、敬意に満ちて、社会に貢献でき、ビジネス一辺倒ではなく、創造力を兼ね備えた未来である。

そこへ私たちのフランス的な特質、生活様式、啓蒙的エスプリ、そして個々の中に燃える人文主義・ユマニズムと呼ばれる、この小さな炎を投げ込むのだ。

追伸として

広告は現代生活の花であり、時代の最先端であり、そして芸術である

ブレーズ・サンドラール

そして、もし……、その六〇年後も『世界の果てまでつれていって』（邦訳・福武文庫）の作者、ブレーズ・サンドラールが今も変わらず正しいとするなら……

GAFAに乗っ取られた広告

広告業界関係者は、デジタルの激変による最初の犠牲者だったけれども、彼らはそれを煽ることとさえした。GAFAの眼もくらむような社会的、経済的な進歩、上昇に向けて、広告は財政的な援助をしたにもかかわらず、GAFAは広告を乗っ取り、GAFAを世界の王にまで祭り上げた広告を真っ向から攻撃し、広告を略奪した。かくも攻撃的、卑劣で不法な手段は、未だかつてなかった。世界の経済史の中で、財政的な支援をしたものの財産を、このように奪い取るとは、今まで耳にしたことがない。しかし、私にとってさらにひどいと思うのは、また別のことだ。クライアントの広告関連部門を横取りすることで、彼らが虐殺しているのは広告そのものだ。わが親愛なる広告よ。これは、広告が初めて経験した卑劣な攻撃ではないが、前例のない、空前絶後の攻撃である。しかも、それは最終攻撃ではないだろう。

フランスは、あらゆるコミュニケーションの手段を考案している。それは、フランスの持つ美徳ゆえだが、それがほとんど世界に認められていない。ニエプス兄弟「兄・クロード一七六三〜一八二八、弟・ニセフォール一七六五〜一八三三」が写真を、リュミエール兄弟「兄・オーギュスト 一八六二〜一九五四、弟・ルイ 一八六四〜一九四八」が映画を発明していなかったら、さらにその二年後に、今日世界の第二の広告主であるユニリーバを創業したウィリアム・リーバ卿（一八五一～一九二五）のために、世界最初のスポット広告が生まれていなかったら、私たちの広告という職業はどうなっていただろう。それに続いて、アンリ・クレティアン教授（一八七九～一九五六）がカラーテレビを考案し、ローラン・モレノ（一九四五～二〇一二）はメモリカードを発明し、言い遅れたが軍事偵察運用センター《CERM》の研究者たちが、インターネットを思わせる発想に関わった。そして広告を発明したのはシャルル・アヴァス（一七八三～一八五八）しかあり得ない。一八三五年、彼はルーアンにアヴァス・エージェンシーを創立した。したがって世界で最古の広告代理店という称号は、私たちフランス人に与えられるのである。

アヴァスの最初の閃きは、世界最初のニュース通信社ＡＦＰを生み、そして二世紀を経て、今も変わらず活動しているロイター通信社を生み出した。彼は、世界的なメディアを買収した最初の人物であり、広告によって有終の美を飾ったのである。

感謝すべきは、シャルル・アヴァスである。

情熱にあふれ、何にでも夢中になり、気まぐれで、幻想的な時代だった一九六〇年代に、私は広告という仕事に目覚めた。私は一度たりとも広告から離れたことはなく、その仕事をあざむいたことも、裏切ったこともない。そして広告は、私に一〇〇倍もの成果を与えてくれた。広告がまだ宣伝文句、洒落た語呂合わせ、不格好な言葉遊びでしかなかった頃に、私は広告という仕事を始めたのだ。イメージを作るには、評判になりさえすれば十分だった。プロとしてのキャリアを始めた頃の貪欲さを持ち続け、私は満ち足りていた。一九七〇年代になって、広告がアメリカ的アドバタイジングとなっていくのを見て、私は深く考えることもなく、大西洋の向こうから来た、この目新しい動きに身を投じた。このアングロ・サクソン的な大波の中で、私たちのラテン的な感受性をどう守ればよかったのか。私は、ただひとりでお偉方たちに反抗した。このような流れに逆らって、沈まないように、オールをこぎ続けたのだった。私の人生そのものである広告は、自然に湧き出してきた。アングロ・サクソンにとっては、広告は、分類され、リラックスさせ、殺菌され、テストされねばならなかった。だが私には、テストを少なめに、蛮勇を多めに、という戦略しかなかった。

そして一九八〇年代になると、広告は別の道を、つまりコミュニケーションへの道を切り開いていった。広告はショーや見世物、お祭り騒ぎとなり、販売促進とは明らかに一線を画して、ますます変わっていった。全てが広告になった。全てがクリエイティブになった。つまり、マスコミへの広報活動、ダイレクト・マーケティング、販売促進、デザインがそうだ。全てがメディアになった。スポーツ、ビジネス、人々、政治も……。私は、この大きな裂け目に飲み込まれた。しかしこの一〇年間は、新世紀への転換が完全には行われたわけではない。広告はつながりを生みだす。走り始めたデジタルの流れになぜ飛び移ろうとしなかったのだろう？

そして突然、全てが新しくなった。なんというビッグバンだったろう！　私はこのデジタルへの訓練を繰り返した。テレビの前で、携帯を見ながら、ネットに接続して、ビッグデータの前で、人工知能と共に。私は、新しい技術が生まれ、旧技術と入れ替わるのを三度も見た。まずテレビ、次にウェブ、そして現在はコンテンツだ。これらの進歩は広告に飛翔する翼を与えたが、最新のコンテンツは、私たち広告業の人間に、欲望の翼を手渡すよう求めている。広告はデジタルの鬼のなすがままなのだ……。

二一世紀になると、広告は時代への適応に成功した。デジタル革命によって、広告は独裁的制度から、参加型コミュニケーションの民主主義へと変わっていったのだ。これを改めて考えると、私は恥ずかしくなる。私は、広告を創造するコミュニケーターだと自負していた。しかし私は、消費者が反論できないのに、スローガンを叩きつけ、プロパガンダを行なう未熟で小物の独裁者でしかなかった。誇大な宣伝から、双方向のソーシャルネットワークへの移行が進んで行く。スローガンから商品やサービスの持っている物語へ、スポット広告から内容そのものへ、マスメディアからソーシャルメディアへ、集中宣伝からデータへの大転換、つまり広告における新しい時代が到来したのだ。かつてテレビは、番組と番組の間に絨毯爆撃のように無差別なスポット広告がブラウン管に流れる戦場で、視聴者をうんざりさせていた。無分別な私たちのかつての爆撃機は、これからドローンに代わるだろう。ドローンは、ターゲットを特定して、そのターゲットにのみメッセージを届けるから、過去の媒体計画には不可避なものであった無駄もなくなる。このテクノロジーの大波の中で、唯一変わらないものはクリエイティブ、創造性である。広告とは、様々なアイデアだ。より正確にいうならば、消費者の購買活動を導き出す仕掛けだ。それは今も昔も将来も変わらない。アイデアとは、例えるなら精子のようなものだ。アイデアは数百万もあるが、そのうちたった一つが生命の関門を通り抜けて、赤ん坊となる。時代や国がどうであれ、ブランドやメディア、現時点のテクノロジーがどうであっても、違いを生むのは、この主役である赤ん坊だ。
　デジタルにとっては、お気の毒なのだが……。

　しかしながら、私たちの広告業界は、その誕生以来、果てしなく続く最大規模の動乱を経験している。いつも競合し合っている世界中の広告代理店に加えて、大喰らいのガルガンチュアであるＧＡＦＡ、立ちふさがるゴリアテのようなコンサルティング企業（アクセンチュア、デロイト・トウシュ・トーマツ、キャップジェミニ）、さらに技術関係のキングコング（Ｉ《アイ》ＢＭ《ビーエム》、セールスフォース、オラクル）がいる。アクセンチュアは、キャップジェミニと付き合いのあるフランスの広告代理店、ピュブリシス《Publicis》から、買い戻しを願っているようだ。フェイスブックとグーグル（市場の七〇％を占める）は、無料のコンサルティングサービスを提供している……しかも、とても似通った内容だ。そして、コンサルティング業界の巨大企業で、デジタル的右腕のアクセンチュア・インタラクティブがその実動部隊となった。

わずか六年間で、その売上高は〇ユーロから六〇億ユーロへと急増し、それに比例して広告業界は、その金額を失ってしまった。二〇一三年に買収され、アクセンチュア・インタラクティブに加わったデザインスタジオ、フィヨルドは、既に世界二四カ国に支店を置いている。そのフランス人のボス、ピエール・ナンテルムは、自社の秘訣をこのように明かしている。「技術的な専門分野から出発して、デジタルマーケティングやクライアントの実験へと、活動分野を拡げて行き、今や身元の確かな重要な企業とまでなったのだ」と。

そして、今や存在意義を失ったピュブリシスの買収を否定したのである。

広告が金の卵を産む時代は終わりを告げた。一九四五年から一九七五年までの、フランス経済における栄光の三〇年間は、もはや思い出でしかない。業界ナンバー1のWPPは二〇一八年に、この一〇年間で最悪の業績を記録した。ナンバー2のオムニコム《Omnicom》とナンバー3のピュブリシス《Publicis》は、ほとんど業績を回復しなかった。かつてのおめでたい広告市場（六〇〇〇億ドルもあった）は先細るばかりだ！　データへ、そして技術とマネジメントのコンサルティングへ、その領域を拡大することでのみ、広告業は生き残れるだろう（これは一兆五〇〇〇億ドルの見込みだ）。

宣戦布告！である。

マーチン・ソレルの失脚

ロンドンに本拠を置く世界最大の広告代理店グループＷＰＰのマーチン・ソレルが二〇一八年四月一五日に失脚したことは、広告による古臭い統治の時代が終ったことを劇的に告げるニュースだった。彼の年齢は七三歳。大胆な企業買収によって、ゼロから広告帝国を築き上げた帝王、世界を駆け巡った煌びやかな人物が、自らの帝国から追放されたのだ。

理由は公表されなかったが、会社資産の濫用、社用ジェット機を情事に使ったなどの噂がささやかれた。職業的な理由では、この年老いたライオンは、四億ユーロ近い彼の私的財産の金勘定にかまけて、自分の企業グループの、時代遅れな経営戦略を検討する機会を逸したことである。別の悪い筋として、ドルの権化となったマーチン・ソレル卿は、イヴァンカ・トランプの夫、すなわち大悪党トランプの娘婿ジャレッド・クシュナーの大親友で、ケンブリッジ・アナリティカ社のパートナーとしてアメリカ合衆国陸軍の入札に加わったらしい。もしこれらの真実が明らかになれば、軽蔑すべきソレル卿はみじめな最後を迎えるだろう。

広告界が生んだ大富豪にして、貧しい出自であったマーチン・ソレルは、ケンブリッジ大学、そしてハーバード大学を卒業後、ロンドン出身の天才的広告人・サーチ兄弟を見出した。彼は、輝かしいファイナンシャル・ディレクターとして、その広告代理店での三番目の地位を得る。

ピュブリシスへの高額な売却事案によって、彼は自由の翼を手に入れ、彼はWWP社（かつてはプラスチック製籠を製造する無名のメーカーだった）を買収し、それによって、眠っていたアメリカの大広告会社、オグルビー社とヤング&ルビカム社を買い戻すことで、最初の世界的規模の広告代理店グループを形成した。仕事柄、多くの経済的鉄拳を振るった彼は、ダボス会議における強力な戦力の一人、クリスティアーナ・ファルコーネとの（イギリスで最も高くついた）離婚騒動によって、パパラッチされる人となった。

彼は、広告関係者には恐れられ、スポンサーには尊敬され、銀行家にはもてはやされた。その年ごとに五〇〇〇万から九〇〇〇万ユーロの間で変動する彼の収入（イギリスにおけるトップクラスの収入）で嫉妬されていた彼は、なんとも月並みな理由で、つまり売上げと利益が一〇年ぶりにダウンしたために、自分の玉座を失った。実際のところ、彼はGAFAによる最初の生け贄であり、マイナス・スパイラルの始まりだった。

好景気だった二〇年間が終わって、広告業は不況の日々を体験することになる。時代に合わせて自らを変えられた人々は試練を乗り越え、できなかった者には不幸が訪れた。二〇〇八年は、一時的に風通しが良くなり、その恩恵に浴した時だった。それは二〇〇八年八月の北京オリンピックとその準備期間で、中国関係のビジネスが飛躍したお陰だったけれども。テレビはその恩恵を最初に受けて、市場シェア〇・四％伸ばし、地獄落ちを免れた。

だがしかし、将来は不確実なままである。

広告の危機

広告業全体を見ると、デジタル関連の広告がほぼ半分を占めている。広告は、あらゆるところで人々を取り囲む。ちょうど最新のニュースが入ってきた。広告ビジネスの小さな業界は、アマゾンがマンハッタンの中心部に二〇〇〇人の協力者を集め、有能な広告代理店を自社グループ内で立ち上げたと知って、怖れおののく。その広告代理店は、フランスでシャル・アヴァス登場以前のように、販売企業から消費者へと直接つながる広告に立ち戻ろうとする。昔との違いは、流通業界を征服したジンギスカン的大王であるアマゾンが、毎年のように増え続けるeコマース（電子商取引）増加分のほぼ半分を占めていることだ。つまり個人購買行動データを利用する何百万ものデータを確保しているからである。

アメリカ・ニューヨークのマジソン・アヴェニューの広告マンたちは、これに遅れを取ってしまい、彼らのスポンサーたちは混乱の最中にいる。フランスでは、スーパーマーケットのカルフールが飛んで火に入る夏の虫となり、グーグルの傘下に加わった。一方、流通業のフナックやダーティ、ルクレルクは、自分たちで独立戦線を組織しようとしている。その目的は同じだ。つまり、各個人の情報データを収集し、その人その人が望むオファーを提供することだ。カジノは、その作業で最も突出し、モノプリ、フランプリ、ゴー・スポーツ、ナチュラリア、クリール、Cディスカウントと共通のプラットフォームに情報を一体化して、顧客の購買プロファイルを解読している。

彼らは、適切なタイミングとポイントで、適切なオファーを行なうことで、モバイル上で顧客を獲得できるようになる。流通業、小売業にとって究極のツールとは、レジ前でのデジタル・クッキーである。このクッキーによって、毎日のように販売活動を評価し、翌日から、どう顧客に接するかを改善できるのだ。大企業にいつも振り回される小規模な小売業は、販売情報の集団的プラットフォーム、クリテオに、彼らには天の賜物である情報データを共同で蓄積する以外、選択肢はない。

果たして、彼らはどのくらいの間、抵抗でき得るだろうか？

政治家より反応が早く、ジャーナリストよりも勇敢で、広告関係者より現実に即しているスポンサー各社は、急激に増大したＧＡＦＡの情報覇権に直面して、まず最初に反乱を起こした。それは、お気に入りの商品のブランドやトレードマークが、ネット上で三つの非常識なゴミ溜め（人種差別、性差別、テロリズム）と隣り合わせになっているのを見て心配した消費者からの苦情からだった。それに勇気付けられたユニリーバとプロクター＆ギャンブルという、二大消費財メーカーが反撃に出たのである。

彼らはＧＡＦＡの痛いところを突いた。さらにＧＡＦＡの売り上げに打撃を与えることによって、かの億万長者成金どもに打撃を与えた。二〇一七年に、フェレロ社はネット関連予算を四〇％削減し、プロクター＆ギャンブルは二億ドルだかユーロだかのオンライン投資を停止した。しかも恐ろしいことに、プロクター＆ギャンブルの売り上げが伸びたのである。続いてイギリスではマークス＆スペンサー、ＨＳＢＣ、マクドナルドが、数週間にわたってユーチューブでのキャンペーンを中止した。ユニリーバの国際マーケティング部門の責任者、キース・ウィード（一九六一〜）は行動と言葉を一致させ、こう語った。「これからは、当社にとって良い影響のある、責任ある情報プラットフォームを優先するだろう」と。

私たちの仕事、つまり広告にとって最大の経済的な台風が、この「悲しき熱帯」から発生して、吹き荒れるだろう。アメリカのマーケットリサーチ会社であるフォレスター社は、今後一〇年から一五年で、主役級の広告代理店の半数が消滅すると予測している。そして、世界的広告企業の死屍累々たるありさまを描く。

ここで私たちは、墓穴を掘っているＧＡＦＡ、私たち広告代理店を真似るコンサルティング会社、そして私たちに仕事を発注する広告主に囲まれている。広告主は猜疑心に取り憑かれ、出費削減だけが目的のコンペを乱発する。それは、キャドバリー・フランス社の「キス・クール」ミントのようなダブル効果を及ぼす。その第一は投資する金額を削減し、第二は報酬を削減することだ。

さらに悪いことには、彼らは、私たち広告マンの能力と仕事の領域に疑念を抱き、広告業務の大部分を自社で行なえるよう、内製化を図っている。ユニリーバは、一〇億ドルでグルーミング用品を直接顧客へ送る「ダラー・シェイブ・クラブ」を買収した。四方八方に触手を延ばすこの企業グループのあらゆる領域で、企業と消費者との新たなコミュニケーション方式の採用を考える。その翌年、世界のトップに君臨するこの洗剤メーカーは、報酬を一七%、製造コストを一四%、それぞれカットし、共に仕事をする広告代理店の数を半分に減らした。彼らは広告そのものを信用しない。そして、株主たちは総会が開かれるたびに、投資削減を企業側に迫っている。

企業は、広告を処刑することで、投資削減を実現する。

広告主の戦い

一方のプロクター&ギャンブルでは、以前は信じられないほど滑稽としか思えなかったが、現在では時代に即していると思えるアイデアを展開した。それはプロクター＆ギャンブルの三大広告代理店、ＷＷＰ、オムニコム、ピュブリシスに対して、プロクター＆ギャンブルのために働く各広告代理店のクリエーター全員をニューヨークに集めるよう求めた。それをたとえるなら企業としての個性を、別の言い方では根本の魂を、ワールドスタンダードの名のもとに捨てるように強いられた広告代理店三社による巨大なバベルの塔である。すべての人々が同じように感じ、共通の言葉を話すなら、バベルの塔も高くそびえ立つだろうが、それは違う。企業のコミュニケーション活動で、無視しようとしているのは各国の文化だった。それは広告への冒瀆である。おまけに消費財の巨大企業・プロクター＆ギャンブルは、ＧＡＦＡへの投資金額を一二億ドルだかユーロだかも削減すると決定した。世界第一の広告スポンサー（その予算は一〇〇億ドルにも及ぶ）が、ＧＡＦＡとの戦いを開始した。そして、さらなる透明性、効率性、倫理観を求めたのだ。プロクター＆ギャンブルの最も実力あるマーケティング・ディレクターで、「ＥＵ一般データ保護規定」に大いに賛同しているマーク・プリチャードは歯に衣を着せず、こう語る。「私たちは、一日一〇億人に接触して、彼らが何を求めているか知る必要がある。それは、企業側に大きな責任を生むし、ＥＵ一般データ保護規定は、それを忘れないために存在しているのだ」と。

プロクター＆ギャンブルの重役である彼は、発言した通りに七億五〇〇〇万ドルの広告費を削減し、さらに四億ドルを削ろうとしている。

この広告費の削減には正当な理由がある。というのもデジタル広告については、「効果が疑わしい」と報告されているからだ。「全く役に立たなかった二億ドルの広告費がどれだったのかも特定した。それは二種類の広告で、一つはたった二秒間しか見られておらず、しかもその大部分はロボットによる視聴だった。ユーチューブ上で流れた広告には、私たちが関連付けされたくない動画にリンクされていた」とのこと。

広告ビジネスは滅びてしまうのだろうか？

広告ビジネスは、依然として世界経済のかけがえのない刺激剤だ。さもなくば、企業は数十億ドルもの費用をかけるだろうか？　しかも企業は、それを判断する最も適したポジションにいる。しかし広告ビジネスが強いられるのは、数十億の資金で、雑多なデジタル関連企業の買収や、またはコンサルタントによる防壁を利用してきたＷＰＰやピュブリシスによる技術的な競争と、もう一つは世界で最も才能ある広告代理店の三社が合体したオムニコムによるクリエイティブ競争との、どちらを選ぶかということだ。わが社アヴァスの選択はクリエイティブ・ファーストだ。というのもクリエイティブこそ、私たちの仕事の存在理由なのだから。

ＧＡＦＡとその一味は、広告代理店の信用を巧みに下落させるために、とどめを刺そうとしている。ユーチューブ・ラボ《YouTube Lab》[訳注1]は、ブリーフィングを受けてわずか二週間後に、すぐに使える作業用ビデオを提供する。さらに悪いことには、スナップチャット・パブリッシャー《Snapchat Publisher》[訳注2]は、二分間でキャンペーンをひとつ作ると約束する。そんなものには何の価値もない。クオリティの低いジャンクフードのような広告に、広告主が満足するなどと、どうして想像できようか。ブランドやトレードマークは、仰天するだろう。

昨今、悪化するばかりの災難は、過剰な量の広告が広告そのものを殺していることだ。私は、テレビ放送が始まった頃の、時間当たりの広告割当量を知っている。テレビコマーシャルのオンエアできる時間は制限されていた。未だかつて、こんなにも広告は愛されたことがない。パソコン、タブレット、スマートフォンにおいて、飽和してしまう許容限度ぎりぎりのところにいる。

もう限界だ。

他に類を見ない策士のマーク・ザッカーバーグは、フェイスブック上で過ごす人の時間が五%減ったことを喜んでいる。一日あたりののべ五〇〇〇万時間の節約である。これを彼は、フェイスブックに費やすのは時間ではなく、質なのだと称賛する。しかし実際の状況は少し違い、フェイスブックの広告主を安心させる必要があったのだ。広告主は、怪しげなコンテンツと自社の広告とが隣り合うことを不安に感じたのだ。ここで忘れられているのは広告自体である。気の毒な広告が、この保護監督者であるフェイスブックやザッカーバーグに富をもたらしたのである。

フェイスブックのような新参者を前にして、アヴァスはいち早く対応した。ヴィヴェンディとの提携で、アヴァスは、コンテンツ、メディア、コミュニケーションの世界でトップ・リーダーの資格を持つようになった。つまり、広告とエンターテインメントにおける独占的な地位である。

二〇〇億ドルものずば抜けた経済的影響と、理想的な状況で、私たちアヴァスは、コンテンツ、コミュニケーション、流通の融合した中心に位置している。この好機は、ブランド、トレードマーク、メーカーと消費者との間の関係性を構築し直す。私たちは、情熱と興味から、音楽（世界一のユニバーサル）、ゲーム（世界第二のゲームロフト）、見るもの（欧州一のステュディオ・キャナル）と、オリンピアの祭典のような娯楽施設とを直接結び付ける。専門的知識や学識について競争相手がいないこういったツールは、私たちのブランド（画像、ゲーム、音楽、アーティスト、イベント）に王道を開く。私たちは、エンターテイメントの新しいモデル化と、広告からエンターテイメント的広告へ移行する交差点にちょうど立っているのだ。

そして、コミュニケーションの背後にある世界とは、何だろうか？

私たちは、大きく開かれた扉を通って、広告という仕事の近未来へとさしかかる。私たちの最初のキャンペーンは成功した。スペインでのカルフールとユニバーサルとの強力な音楽的パートナーシップが、ミレニアム世代と再び結び付いていく。アラブ首長国連邦では、「イマジン」と名付けた二〇一七年に、ドバイ・ユニバーサルが、人気グループの「Imagine Dragon」に、その最新ヒット曲「サンダー」のビデオ・クリップを現地で撮影するように提案した。この撮影は、町のいたるところを興奮の渦に巻き込んだ。これと平行して、ゲームロフトによるミニゲームがソーシャルネットワーク上を熱狂させる。フランスでは、ステュディオ・キャナルによるラグビー・トップ一四チームの旋風が視聴記録を塗り替えた。

しかし広告がすべて残らず一〇〇%デジタル化されていると思ってはならない。大企業は、大キャンペーン、一般大衆、多数の視聴者、幅広いネットワークを、相変わらず必要としている。

企業のDNAを受け継ぐ最も効果的なもの、つまりブランドの魂は、スポットCMの中に宿る。いかなる他のフォーマットも、他のメディアも、現時点ではスポットCMに置き換わることはない。それが置き換わるのは、明日でも明後日でもない。魂の特権とは、決して死なないことだ。そして私たちのように広告で育った者は、職業を間違えない。私たちは、エンジニアではなく、クリエーターだ。私たちの役割は、貧しさを強調するのではなく、ブランドを加速させる。そのためには、あらゆるデジタル新技術を駆使するのだ。

ポスト資本主義の消耗戦

広告の存在価値を疑わせ、また動揺させる、このメディア的混沌のただ中での、日々の私たちの課題とは、広告を創造し、愛し、保護することだ。時間による攻撃や、変化のダメージから、とにかく広告を守らねばならない。この世紀の業病ともいえる大混乱から広告を救うのは私たちだ。私たちの役目は、広告メッセージの一貫性に絶えず気を配ることである。この一貫性とは、メッセージの連続射撃やメディアの爆発に対抗する、唯一有効な防弾ベストなのだ。

私たちは、ボディガードとしての建築家であり、心を守護する詩人でもある。広告は、広告が刺激する消費活動や、広告が加速させる経済にとって、不可欠の存在である。広告の使命とは、欲望を創造することだ！

欲望のない世界とは、どんなところだろうか？　それは退屈な惑星だ。

この本で述べてきたように、広告とは特別な経費をかけずに、世界中の人類の大義を守る基本である。アヴァスは一年間に二〇〇本以上の無料キャンペーンを制作している。良心を目覚めさせる広告の貢献度は全世界的なものだ。それは、全てのグループが「自己の利益を確保」しながら、情報を伝える側に立って行なう数千もの行動である。

寛容のない世界とは、どんなところだろうか？　それは憎しみに満ちた惑星だ。


進歩への衝動や増殖するテクノロジーにもかかわらず、広告は、常に広告であり続けるだろう。広告は、その表現方法を変えるかもしれないが、その根本は変わらないだろう。媒体を変えるかもしれないが、想像力は変わらないだろう。テクニックは変えるかもしれないが、創造力は変わらないだろう。デジタルに魅入られた人々、「ロボットの出現を待つ」観客たち、火星でのボランティアたちであっても、「夢を見る」権利は放棄しないであろう。どのような未来主義であろうとも、この「夢を見る」権利は常にマシーンより優れている。

機械によって奴隷は解放された。そして今度は、機械が私たちを奴隷化しないよう用心するのだ。


私の関わってきた広告という職業の進化と、広告を守ろうとする私の情熱とはちょっと外れた脇道について延々と語ってきたが、私の話も終わりに近づいてきた。私は悲観的な文章で、この本を終わりにしたくない。人生とは、悲しく生きていくには短すぎるからだ。

私はこの約六〇年もの間、広告業界に身を置いてきたが、数々の難局、策謀、怯懦の中を、そして同じく、数えきれない飛翔、前進、革新の中を、広告が突き抜けていくのを見てきた。

常に広告は危機から巧みに脱して、さらに高い評価を受けてきたのである。

広告はこの新たな時代の決闘に終止符を打つだろう。そのために広告は、寛容で共有され、能率的で賢明で、共同的で創造的なものとなる。

この本の試みは、ひとつの警戒信号の発信であり、また何よりの希望でもある。広告という仕事の終焉でもないし、ましてや世界が終末を迎えたわけでもない。これは、二一世紀の怪獣なのだ。そう、来るべき将来に警戒線を超えないよう、行きすぎにならぬよう、倫理に対する侵害が起こらぬよう、私生活への不法な侵入を禁じるよう、目標を定めなくてはならない。


それは、わがフランス政府の使命であり、国家の責任であり、最優先すべき事項だ。各国の政府は、驚異的なスピードで進行してしまった驚くべき出来事についていけず、呆然と待っていただけだった。しかし、同じような状況に曝された市民たちの自覚は決定的だ。何でも先にやったもの勝ちの、デジタル世界における最初の被害者である市民は、もうされるがままにはならないだろう。

すでに市民はレジスタンスを始めている。反抗の次の段階は、過激な戦いであろう。もし、情報データを盗まれた個々のフランス人被害者が、てんでにフェイスブックに訴訟を起こすならば、フェイスブックという悪魔は確実に面子を、さらにはその情報の独占さえも失うだろう。未来は私たちのものだ。私は何十年も前から、未来予測研究の観点で、将来を子細に検討してきた。私たちの不安や欠乏が、アイデアと意志が、つまり一言でいうなら私たちの希望が、未来によって尊重されることをずっと見てきた。私たちは一〇〇〇年もの寿命を生きたり、はるかな火星に移住したいなどとは、誰も夢想だにしていない。それぞれの人々は進歩を望んではいるが、それはきちんと抑制され、確かな方向付けがなされた、人間らしい進歩である。上の立場の人たちに、そんな程度のことを求めるだけで、私たちは十分なのである。

選挙とは、そのためにある。

運命を自らの手に握ろうとする市民たちは、時代遅れとなった資本主義をお払い箱にして、決して安定することのない世界経済の亀裂と衰退の中に、現実的な理想郷《ユートピア》の場を、なんとか確保しようと夢見ている。それは、東ドイツの哲学者、エルンスト・ブロッホ（一八八五～一九七七）が出版した『希望の原理』（邦訳・白水社）への回帰である。一九五〇年のヨーロッパの空気の中に、カール・マルクス（一八一八～一八八三）が「想像力のむなしい空論」と形容した「公明正大な政治的秩序」という隠された欲求は、すでに漂っていた。しかしマルクス主義は生き延びたものの、ベルリンの壁は瓦礫となって、運び去られてしまった。そして一九六八年の五月革命は、パリ大学文学部サンシェ分校の壁に書かれた、この言葉には騙されなかった。

「レアリストになり、求めよう、不可能を」

ポスト資本主義は消耗戦を始めた。それを私は喜んでいる。あまりに魂の力を失ったがために、これから何世紀にもわたって打ちひしがれたままとなったかもしれない多くの人々が、やっとのことで望ましい未来をみんなと共に作ろうとしている。そんな希望を胸に、やがて私はこの世を去っていくだろう。

きちんと規制された技術に守られ、あらゆる入口に開かれた、この新しい創造力は、さらに高度な技術を創造可能にする唯一無二の力となることだろう。

[訳注]

まえがき

1　クラウド
クラウドとは、別名でクラウドサービス、クラウドコンピューティングと呼ばれ、インターネットを経由してコンピューティング、データベース、ストレージ、アプリケーションなどの、多様なITリソース（IT資源）を必要に応じて利用できるサービスの総称。

2　ユーチューブを呑み込む
ユーチューブは、二〇〇六年に一六億五〇〇〇万ドルの株式交換でグーグルによる買収に同意した。

3　ワッツアップ
ワッツアップはスマートフォン向けのインスタントメッセンジャーアプリケーションの会社。創業は二〇〇九年で、二〇一九年にフェイスブックが一九〇億ドルで買収した。

4　Web4・0
Webのトレンドを表わす用語。情報の送り手と受け手の変化の状態を表わしている。おおまかにまとめると、Web1・0はコミュニケーションの方向が一方向（マスメディア）の時代（一九九〇〜二〇〇〇）、Web2・0は双方向コミュニケーション（ブログメディア）の時代（二〇〇〇～二〇一〇）、Ｗｅｂ３・０は多方向ソーシャルメディアの時代（二〇一〇～二〇二〇）、Ｗｅｂ４・０はＡＩ（人工知能）が実現したウェブの時代（二〇二〇～）と言われる。

5　スマートスピーカー
対話型の音声操作に対応したＡＩアシスタント機能を持つスピーカー。内蔵マイクで音声を認識して、情報の検索や連携する家電の操作を行なう。

6　インスタグラム
二〇一二年にフェイスブックはインスタグラムを一〇億ドルで買収した。

7　ユーチューブ、アップルＴＶ、ネットフリックス
ユーチューブは世界最大の動画共有サービス。アップルＴＶはアップルが販売するメディアストリーミング端末で、インターネット経由で動画配信サービス、ゲームなどのあらゆるコンテンツを楽しめる。ネットフリックスはオンラインのＤＶＤレンタル、ならびに定額制の動画配信サービス。

8　ウーバー
二〇〇九年にサン・フランシスコで設立された、自動車配車ウェブサイト、ならびに配車アプリの会社。タクシーにかわる交通手段として世界中で事業を展開している。

頭脳を変えよう

1　ＢＥＴＣ
一九九五年、パリで創立した広告代理店。ＢＥＴＣは創業者三人：Babinet、Erra、Tong Cuongの頭文字から。主なクライアントはプジョー、エール・フランス、エヴィアン、ラコステ、ロレアルなど。現在アヴァス・グループに属している。

2　ユービーアイソフト
フランスに本社を置く、世界三位のコンピュータゲームの開発・販売会社。世界中で事業を展開し、開発スタジオも各地に持つ。アクションゲーム、シューティングゲームで世界的に高い評価を受けている。

3　ＲＰＧゲーム
ＲＰＧはロールプレイングゲームの略称で、参加者各自が割り当てられたキャラクターを操作し、架空の状況下で与えられる試練を乗り越え、目的達成を目指すゲームのこと。

開始せよ！　レジスタンスを

1　プレインストールの強要
スマートフォンなどの、モバイル機器のメーカーのアンドロイド端末に対して、ウェブ接続用のソフトを強制的にグーグルクロームにして、プレインストールさせたこと。

2　アンドロイド
アンドロイドは、主にスマートフォンやタブレットなどのタッチスクリーンモバイル機器向けに設計された、モバイルオペレーティングシステムである。

クソ喰らえ！　フェイクニュース

1　インフルエンサー
インフルエンサーとは、世間に与える影響力が大きい人物のこと。そのような人物の発信する情報を活用して宣伝することをインフルエンサー・マーケティングと呼ぶ。

2　問題解決に向けての提案を行うだろう。
しかし、二〇一八年は三月に八七〇〇万人分の情報流出、六月に広告主への個人情報の特別提供、九月に二〇〇〇万人分の情報流出、一〇月に二五万人分の情報流出、という状況であった。
3　米国司法省に圧力をかけていた
二〇一八年六月、ワシントンDC連邦地方裁判所が、AT&Tによるタイム・ワーナー買収を許可した。そしてタイム・ワーナーはワーナー・メディアに改称した。
4　クワント
フランスを拠点とする検索エンジン。プライバシーを重視し、その保護のためユーザーを追跡しない。EU一般データ保護規則の対象である。フランス政府はプライバシー保護の観点から、グーグルの使用を停止し、クワントを使用している。

ハロー！　ママ・ロボット

1　そのあたりにかかっている
テスラは、二〇一九年七〜九月決算で、一億四三〇〇万ドルの利益を計上。二〇二〇年七月には、米国市場でテスラの時価総額は一時二一〇五億ドルとなり、世界第一位の自動車メーカー、トヨタを抜いて、自動車メーカーで世界首位となった。
2　殺人ロボットへの警戒を世界中に呼びかける国連への公開質問状
この公開質問状は Future of Life Institute によって、二〇一五年七月の国際人工知能会議（International Joint Conference on Artificial Intelligence・IJCAI）のオープニングで発表された。

3　火薬、核兵器に続く、この第三の革命
こちらの公開質問状もFuture of Life Instituteによって、二〇一五年七月の国際人工知能会議(International Joint Conference on Artificial Intelligence・IJCAI）のオープニングで発表されたもの。

人工知能：奇跡か、それとも蜃気楼か

1　ブロックチェーン技術
「仮想通貨」が通貨として機能し、サービスが成り立つ上で非常に重要な技術。分散型台帳技術、あるいは分散型ネットワークと呼ばれる。改竄が困難な記録方式として仮想通貨以外への応用例もある。

2　スカイネット
映画『ターミネーター』に登場する架空のコンピュータ。自我を持ったコンピュータで、自己保全を最優先とするようにプログラムされ、自らの存在を脅かす存在＝人類の殲滅を目的とする。

3　トランスヒューマニズム
トランスヒューマニズムとは、新しい科学技術を積極的に活用することで、人間の身体能力や認知能力の生物学的な限界を超越し、人間の状況を前例の無い形で向上させようという思想および運動、そして哲学である。日本語では「超人間主義」と訳される。

追伸として

1　ユーチューブラボ

ユーチューブは、アメリカのインターネット動画配信サイト。誰でも動画を簡単にアップロードして共有できるサービスが人気となる。社会的・政治的影響力も大きいが、動画の権利問題等，未解決の問題も多い。ラボはその関連サービスと思われる。

2　スナップチャットパブリッシャー

スナップは米国のソーシャルメディア企業。写真・動画共有アプリの「スナップチャット」を通じ、短いビデオ（最大一〇秒間で自動的に消える）や画像イメージで情報交換やコミュニケーションのサービスを提供する。パブリッシャーはその関連サービスと思われる。

訳者あとがき

三六年ぶりに、ジャック・セゲラの本を再び翻訳しました

この本は〝LE DIABLE S'HABILLE EN GAFA〟par JACQUES SÉGUÉLA, Coup de Gueule, 2018 の全訳です。私が最初にセゲラ氏の本『広告に恋した男』を翻訳したのは一九八四年のことです。もう三六年も前のことになりました。当時、フランスの広告業界のことを書いた本は一冊もなく、全く手探りでの翻訳作業だったことを記憶しています。当時お世話になったフランス語の寺田恕子先生は悲しいことに若くして帰天され、共訳者だった菊池有子氏とも連絡が途絶えてしまいました。

この本「広告に恋した男」と再び向き合ったのは二〇一八年のこと。ソーシャルキャピタルという出版社から、この本が復刻・再版されたことからでした。

「ジャック・セゲラ氏はまだご存命なのだろうか?　どんな活動をしているのか?」と、

ネット上で検索してみたところ、彼のオフィシャルサイトを発見し、今も現役で精力的に活躍していることが分かりました。そして同時に近々出版されるこの本『ＧＡＦＡという悪魔に』の告知もあったのです。

「どんな本だろうか？」と、出版と同時にフランス・アマゾンのサイトから購入し、ぱらぱら読んでみました。フランス人が、アメリカそのものとも思えるＧＡＦＡのようなＩＴ大企業をどう見ているのか、それとどう戦うのか、といった哲学や文化、思想や方策がちりばめられているような内容でした。

「これは面白いかも……」と感じて、この翻訳を出す出版社と、きちんとフランス語から日本語へ翻訳してくれる共訳者を探し始めました。

幸いにも、以前別の翻訳書のことでお世話になった緑風出版の高須次郎社長から出版の内諾をいただきました。

また共訳者もフランス語検定１級の佐藤真奈美さんにお願いすることにして、なんとかこの本の翻訳プロジェクトがスタートしたのです。

もう翻訳はやりたくなかったけれど

個人的には、もう翻訳はやらない、と固く心に決めていました。ひとたび翻訳書に取りかかると二年から五年はその本にかかりきりになります。また共訳者が言語的・文法的に厳密に訳した文章を、私が分かりやすく砕いて、読みやすい文章に仕上げていく作業は、予想以上に時間と手間がかかります。

今まで私が訳してきた本は、自分が実際に体験した業種や内容に限られてきました。その業界特有の言い回しや表現があって、それを一語でもミスると、本全体のクオリティが落ちてしまうことを、他の翻訳書を読んでは、何度も経験していたからです。

しかし、この本は訳す価値があると思ったのです。この本を訳す前に、二〇一八年に出版されたスコット・ギャロウェイ著『GAFA、四騎士が創り変えた世界』を読んでみたのですが、最初はGAFAへの鋭い指摘があったものの、後半に入るとGAFAに食いモノにされないためにはGAFAに就職しよう……、みたいな、がっかりするトーンに変わっていくのです。なんだか著者に裏切られたような気がしました。そこに私は、アメリカ人著者の限界をはっきりと見たのでした。

GAFAを的確に批判出来る人間は、今の地球上にそんなに多くはいません。以前GAFAにいたエクゼクティブが「さらばGAFA」というような内部告発本を出すことはあるでしょう（アメリカの情報機関にいたスノーデンの内部告発のように）。

一般のジャーナリスト（新聞、雑誌、テレビ、ラジオ）は、テクノロジーの最先端を突っ走るGAFAの動きを追いかけるだけで精一杯、全体の俯瞰図を分かりやすく見せることなど出来ません。自分の属している既存のメディアの経営が悪化し、失業するかもしれないのに……。ネット上に多いフリーランスのジャーナリストも同様で、ＧＡＦＡは桁違いの資金力で、金回りに苦労するフリーのジャーナリストたちを簡単に囲い込むことが出来るのですから。

しかし、アメリカと価値観を異にするフランスの、ＩＴ関連業界ではない広告業界に身を置くジャック・セゲラ氏ならば、こういったＧＡＦＡ批判が誰はばかることなく出来るのです。広告業はＩＴ業界によって最も激しく業界基盤を侵蝕された業種ですから、そこから受けたダメージも身に染みて分かっています。またそこからの逆襲の方法も…。

そういう意味で、この本『ＧＡＦＡという悪魔に』は、私の「もう翻訳はしない」という決心を、敢えて曲げて翻訳する価値が大いにある、と思ったのです。

『一九八四年』の悪夢が地球を覆わないように

セゲラ氏は、ＩＴ産業の巨人たち、ＩＴ長者たちは、常に人徳のある人間だとは限らない、人々に幸福をもたらすとは限らない、と考えています。金があるなら何をやってもいい、儲かるならあらゆる手段を使って、非合法すれすれでもかまわないとする連中だと考えています。

彼らに搾取されないためには、どんな方法を採るべきでしょうか。検索エンジンでグーグルを使わないで、自国が開発した検索エンジンを使う。その他、位置情報機能をOFFにする、クッキーにノーという、個人情報をアップしない、ランダムなアンケートにホイホイ答えない、というのもあるでしょう。この本を読みながら、中に込められたさまざまなヒントを読み取っていって欲しいと思います。

データによって人間を単なる数字や記号として管理・支配しようとするのは、かつてジョージ・オーウェルが『一九八四年』の中で描いたビッグ・ブラザーによる世界の徹底的な支配と搾取の悪夢です。それを急速に完成しようとしているのが今の中国、つまり中国共産党です。

中国共産党支配下のチャイニーズGAFAとして、セゲラ氏はBATX、つまりバイドゥ、アリババ、テンセント、シャオミをあげています。GAFAも嫌ですが、露骨な政治支配が絡むBATXはもっともっと嫌なものです。その延長で中国共産党が最初に5Gを設置するのは、香港、ウイグル、チベットという厳重な政治的監視が必要な地域のはず。そのようなBATX以下、中国系のITソフト・ハードによる世界制覇は断固絶対拒絶すべし、なのです。これは、中国共産党との対決姿勢を明確に打ち出したアメリカ合衆国、ならびに自由主義諸国の存亡をかけた政治的かつ哲学的な大方針なのでしょう。そんな生臭い現在進行中の世界情勢やIT覇権のゆくえも頭に入れながら、読んでいただければと思います。

二〇一八年の原書の出版から二年もかかってしまいましたが、なんとか翻訳が完成してよかったと、ほっと胸をなで下ろしております。

出版状況の厳しい中、この本の出版を決めていただいた緑風出版の高須次郎様、ますみ様には本当にお世話になりました。

またこの本には、クラウドファンディングによって多くの方々からのご支援をいただきました。共訳者の佐藤真奈美ともども、みなさまに心より感謝申しあげます。

二〇二〇年八月

小田切しん平

この本の出版には、クラウドファウンディングによって数多くの方々から多大なご支援をいただきました。私どもの志にご賛同下さった方々のお名前をここに記し、心よりの感謝を申し上げたいと存じます。

寺田喜彦、パパジアン裕子、
Laurent LEPEZ、hamasa、村上由耕、
寺田俊治、三枝成彰、平野明

高橋修、水野由多加、志賀勉、尾崎純子、
大山高明、岡本和重、山本雄三、小野祐紀、
久村洋輔、Keisuke Otani、メイン北、森村雄一、
大河内祐希、松永敏光、木原茂、儀保準、栗林浩司、
早野諭、大竹高広、杉村向陽、加藤成子、児玉信枝、
宇都宮章、鈴木浩司

平尾大輔、上田耕一、岡田敬造、花田志織、古村卓也、
Margatica、gaku、佐藤理加、吉村貴之、田渕稔·幸代、
上田佳湖、吹春秀典

[著者紹介]

ジャック・セゲラ

1934年パリ生まれ。薬剤師の資格を取得するが方向転換し、シトロエン2CVによる初の世界旅行を敢行。帰国後はジャーナリストとして活動する。さらに広告業界へと身を投じ、1970年に自分の広告会社RSCGを設立する。発展を遂げたRSCG社は、1996年にヨーロッパを代表する広告企業グループ・アヴァスと合併する。現在の彼は、アヴァス・グループの副社長を務める。

彼は、数々の企業・商品などの広告キャンペーンを手がけ、また政治キャンペーンでも辣腕を振るう。社会党のミッテランが劇的な逆転当選を果たした1981年のフランス大統領選挙をはじめとして、フランス以外のカメルーン、ガボン、トーゴ、ポーランド、イスラエル、チリ、セネガルなどの選挙キャンペーンにも関わった。

2008年にはレジオン・ドヌール勲章を授与された。今も現役の広告人である。

彼の著書は25冊を数えるが、邦訳されているのは彼の若い時代の自叙伝『広告に恋した男』だけである。

[訳者紹介]

佐藤真奈美（さとう　まなみ）

群馬大学工学部卒業。フランス語検定1級。現在は特許関係の翻訳をメインに活動中。

小田切しん平（おだぎり　しんぺい）

早稲田大学第一文学部フランス文学専攻卒。広告会社、ＴＶ番組制作会社、クラシック音楽事務所を経て、現在フリーランスで執筆・編集・翻訳・撮影などで活動中。

G《ガー》A F《ファ》 Aという悪魔《あくま》に

2020年9月15日　初版第1刷発行　　定価2200円＋税

著　者　ジャック・セゲラ
訳　者　佐藤真奈美、小田切しん平
発行者　高須次郎
発行所　緑風出版 ©
〒113-0033　東京都文京区本郷2-17-5　ツイン壱岐坂
［電話］03-3812-9420　［FAX］03-3812-7262［郵便振替］00100-9-30776
［E-mail］info@ryokufu.com［URL］http://www.ryokufu.com/

装　幀　斎藤あかね
制　作　R企画　　印　刷　中央精版印刷・巣鴨美術印刷
製　本　中央精版印刷　　用　紙　中央精版印刷・巣鴨美術印刷　E1200

Printed in Japan　　ISBN978-4-8461-2016-0　C0036

フランサフリック
アフリカを食いものにするフランス

フランソワ＝グザヴィエ・ヴェルシャヴ著／大野英士、高橋武智訳

四六判上製　五四四頁　３２００円

数十万にのぼるルワンダ虐殺の影にフランスが……。植民地アフリカの「独立」以来、フランス歴代大統領が絡む巨大なアフリカ利権とスキャンダル。新植民地主義の事態を明らかにし、欧米を騒然とさせた問題の書、遂に邦訳。

鉄の壁［上巻］
イスラエルとアラブ世界

アヴィ・シュライム著／神尾賢二訳

四六判上製　五八四頁　３５００円

公開されたイスラエル政府の機密資料や、故ヨルダン王フセイン、シモン・ペレス現大統領など多数の重要人物とのインタビューを駆使して、公平な歴史的評価を下し、歴史の真実を真摯に追求する。必読の中東紛争史の上巻！

灰の中から
サダム・フセインのイラク

アンドリュー・コバーン／パトリック・コバーン著／神尾賢二訳

四六判上製　四八四頁　３０００円

一九九〇年のクウェート侵攻、湾岸戦争以降の国連制裁下の一〇年間にわたるイラクの現代史。サダム・フセイン統治下のイラクで展開された戦乱と悲劇、アメリカのＣＩＡなどの国際的策謀を克明に描くインサイド・レポート。

石油の隠された貌

エリック・ローラン著／神尾賢二訳

四六判上製　四五二頁　３０００円

石油はこれまで絶えず世界の主要な紛争と戦争の原因であり、今後も多くの秘密と謎に包まれ続けるに違いない。本書は、世界の要人と石油の黒幕たちへの直接取材から、石油が動かす現代世界の戦慄すべき姿を明らかにする。

イラク占領
戦争と抵抗

パトリック・コバーン著／大沼安史訳

四六判上製　三七六頁　２８００円

イラクに米軍が侵攻して四年が経つ。しかし、イラクの現状は真に内戦状態にあり、人々は常に命の危険にさらされている。本書は、開戦前からイラクを見続けてきた国際的に著名なジャーナリストの現地レポートの集大成。

エネルギー倫理命法
100%再生可能エネルギー社会への道
ヘルマン・シェーア著／今本秀爾、ユミコ・アイクマイヤー、手塚智子、土井美奈子、吉田明子訳

四六判上製
三九二頁
2800円

原発が人間存在や自然と倫理的・道徳的に相容れないこと、小規模分散型エネルギーへの転換の合理性、再生可能エネルギーによる代替の有効性を明らかにする。脱原発へ転換させた理論と政治的葛藤のプロセスを再現。

政治的エコロジーとは何か
フランス緑の党の政治思想
アラン・リピエッツ著／若森文子訳

四六判上製
二三二頁
2000円

地球規模の環境危機に直面し、政治にエコロジーの観点からのトータルな政策が求められている。本書は、フランス緑の党の幹部でジョスパン政権の経済政策スタッフでもあった経済学者の著者が、エコロジストの政策理論を展開。

バイオパイラシー
グローバル化による生命と文化の略奪
バンダナ・シバ著／松本丈二訳

四六判上製
二六四頁
2400円

グローバル化は、世界貿易機関を媒介に「特許獲得」と「遺伝子工学」という新しい武器を使って、発展途上国の生態系を商品化し、生活を破壊している。世界的に著名な環境科学者である著者の反グローバリズムの思想。

グローバルな正義を求めて
ユルゲン・トリッティン著／今本秀爾監訳、エコロ・ジャパン翻訳チーム訳

四六判上製
二六八頁
2300円

工業国は自ら資源節約型の経済をスタートさせるべきだ。前ドイツ環境大臣（独緑の党）が書き下ろしたエコロジーで公正な地球環境のためのヴィジョンと政策提言。グローバリゼーションを超える、もうひとつの世界は可能だ！

ポストグローバル社会の可能性
ジョン・カバナ、ジェリー・マンダー編著／翻訳グループ「虹」訳

四六判上製
五六〇頁
3400円

経済のグローバル化がもたらす影響を、文化、社会、政治、環境というあらゆる面から分析し批判することを目的に創設された国際グローバル化フォーラム（IFG）による、反グローバル化論の集大成である。考えるための必読書！